D1638650

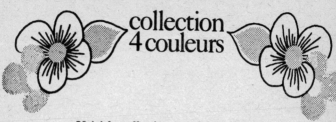

collection
4 couleurs

Voici la collection « 4 COULEURS »

Des œuvres romanesques dont la qualité révèle les sentiments humains dans toute la force de leur expression.

Elle vous entraînera dans un univers où se mêlent l'amour et l'indifférence, l'étrange et le réel, des existences et des paysages que vous aurez peut-être un jour le bonheur de connaître.

En compagnie de héros dont les aventures ne cesseront de vous captiver, vous découvrirez les passions qui peuvent habiter l'âme humaine, dans un cadre chaque fois nouveau qui sera pour vous une halte salutaire dans votre vie quotidienne.

Dans un monde où nous côtoyons tous les jours l'âpreté et la violence, « 4 COULEURS » vous prouvera que la vie conserve un aspect heureux, et vous aidera à mieux le découvrir.

Séduisants par leur prix et par leur présentation, pratiques par leur format, les romans « 4 COULEURS » trouveront aussi bien leur place dans votre poche que dans votre bibliothèque.

LA MÉLODIE MEURT

ANN ET GWEN

LA MÉLODIE
MEURT

LIBRAIRIE JULES TALLANDIER
17, rue Remy-Dumoncel, PARIS (XIVᵉ)

CHAPITRE PREMIER

Il veut que j'écrive. Je ne peux pas... Non, non, je ne peux pas !

Trois jours plus tard.

Il m'a mis le petit dans les bras.

Le petit m'a regardée. Je voudrais mourir. La tête me tourne. Une bête vivante me ronge la poitrine, bloque ma respiration. Depuis le télégramme...

15 septembre.

J'ai été malade. Très. Pendant longtemps. Je ne me rappelle rien. Rien !

Maintenant, je me lève, je m'habille, je donne des ordres à Jane. Je veille sur les menus d'Antoine. Je le prends même dans mes bras, le pauvre enfant. Je n'arrive pas à me rappeler que je suis sa mère.

Je passe mon temps à observer cette étrange Catherine, ce dédoublement de moi-même qui fait ce que lui dit Tony. Une Catherine qui vit. Incroyable !

Pourquoi Tony veut-il que j'écrive ? Je demeure des heures à regarder ces pages. Elles sont blanches pour tout le monde. Pas pour moi ! Je crois parfois que je suis folle. Bonne explication ! Elles deviennent de petits écrans comme ceux de la télévision. Tou-

jours les mêmes. Parfois en monte le rugissement des
flots contre la roche. Puis j'entends nettement —
comment est-ce possible ? — le « swish » de l'auto
qui bondit dans le vide. Alors, le cauchemar commence... La voiture étincelle un instant dans l'air
bleu, ses roues tournent, tournent... Puis, c'est le
fracas épouvantable sur les roches. Silence. On
n'entend même plus le bruit des vagues. Ensuite, je
me penche sur une eau cristalline. Elle ne bouge
plus. Très loin, en dessous de moi, dans le fond, sur le
sable et les roches, je vois Janos. Sur le dos.
Immobile, impassible. Seuls ses cheveux oscillent
lentement comme des anémones de mer. Ses yeux
sont fermés. Une mince spirale écarlate s'échappe
d'une de ses oreilles, monte en tournoyant vers la
surface et devient rose. Le hurlement des sirènes
déchire l'air. Des cris. Puis le silence. Je n'entends
plus autour de moi que les bribes très lointaines de la
mélodie qu'il m'a jouée. A moi, et au monde entier.

Le lendemain...

Je crois que, malgré tout, Tony a raison. J'ai cru
devenir folle hier, avant d'avoir écrit ces quelques
lignes. Après, cependant, mon corps, mes yeux qui
brûlaient m'ont fait moins mal. Je n'ai pas pleuré,
mais je suis tombée le nez sur mon cahier. Jane, la
pauvre vieille, m'a surprise comme ça. Elle n'a
trouvé à me dire que : « J'ai fait des scones pour
M. Tony qui les aime tant. Vous en mangerez bien
aussi, miss Cathy ?... » Sa façon britannique de m'aider. Et j'en ai mangé.

Ce matin, de nouveau, j'ai froid. Tout flotte dans
un nuage. Un de ces nuages comme il y en a parfois

en été avant l'orage, lourds, opaques, violacés, très lents. L'air est chaud d'une mauvaise chaleur, le vent s'élève soudain, arrache les feuilles, tord les arbres, gifle, bouscule tout sur son passage.

En moi, c'est la même chose. Tout s'arrache, s'effrite.

Je crois que je n'écrirai plus. Je ne veux pas obéir à Tony. J'ai passé ma vie à obéir. Quand j'étais toute jeune, à papa, puis à Natacha... Avec Janos, ce n'était pas obéir, c'était aimer. Mais Tony, pourquoi ?... Tout tourne de nouveau...

De quoi se mêle-t-il, après tout ? Il n'est ni mon père, ni mon frère ni surtout mon mari... Comment ai-je pu, même un instant, laisser naître ce mot sous ma plume ? Il n'y a, il n'y aura jamais qu'un seul homme qui sera mon mari...

Deux jours plus tard.

Je reprends ceci. Il dirait : « Ta méchanceté prouve que tu reviens à la vie ». Il finit toujours par faire ce qu'il veut. Il est arrivé à me mettre un imperméable, à me nouer un foulard autour du cou (il veille sur moi comme une vieille nurse) et nous sommes sortis dans l'île. Dans les petites rues où il n'y a ni arbres ni feuillages. Malgré cela, on sent l'automne. C'est dans l'air. Janos aimait l'automne.

J'ai dit « aimait l'automne... » Je m'habitue donc à parler de lui au passé ? C'est stupéfiant Et moi, je vis !

Tony, lui, comprend toujours tout, et ça m'agace. Il a senti, par exemple, que je n'aimais pas aller le long de la Seine. J'ai horreur de l'eau, à présent. Celle-ci est sombre, trouble, polluée, belle seulement de loin, quand elle roule et étincelle. Une eau qui charrie toute la crasse de l'humanité et qui fuit désespérément, éternellement, vers la pureté de l'Océan. S'il est encore pur ! Je ne l'imagine limpide que là-bas, au-dessus de Janos. C'est idiot, d'ailleurs, puisque je sais qu'il n'y est plus, mon cher amour ! Est-ce au moment où Tony a fini par me montrer le télégramme, ou plus tard, avant que je ne devienne si malade, qu'il m'a tout expliqué et décrit le beau cimetière lumineux où il est enterré ? Je ne sais plus. Ils me font rire avec leur beau cimetière lumineux ! Ça me donne envie de crier.

Il me faut faire un grand effort pour me remettre à écrire. Et pourtant, j'y trouve l'occasion de sortir de ce bourbier de souffrance où je me débats. C'est étrange.

Nous avons donc pris les petites rues provinciales si étroites et j'essayais de lever docilement les yeux chaque fois que Tony s'extasiait sur un balcon ou une vieille sculpture.

Nous sommes passés devant la petite boulangerie, où, le matin, Jane allait chercher les croissants ou les baguettes toutes chaudes. Et, soudain, j'ai repensé à Natacha. Je me suis arrêtée, les yeux écarquillés.

— Natacha, Tony ?... Est-il possible que je n'aie plus pensé à elle ? Ni elle, à moi ?

Il allumait justement une cigarette, avec sa désinvolture habituelle. Il a mis un moment pour me répondre.

— Tu as oublié que Natacha est au Japon...

— Mais elle a dû l'apprendre, quand même !

— Je lui ai envoyé une lettre par avion, naturellement, mais je lui ai demandé de ne pas t'écrire tant que tu ne serais pas tout à fait remise.

J'ai fait explosion :

— Ça fait un mois à peu près que je... que je sais. Elle tenait à nous, Tony ! Surtout à Janos.

Tony a dit tranquillement :

— De toute façon, Natacha est constamment en tournée, ne l'oublie pas. A moi, en tout cas, elle aurait manifesté son désespoir. Elle n'a encore rien appris, probablement, ne te tracasse pas.

Il a dû voir ma figure, car il a dit :

— Ne va pas encore remuer les souvenirs. Tu dois admettre, mon chou, que Natacha puisse être très atteinte par la mort de Janos.

Peut-être, mais je me suis mise en fureur. Puis je ne voulais pas entendre parler de Janos comme cela. Ces mots terribles qu'on dit cependant si facilement : « Janos est mort ». Ses belles mains à jamais figées. Ses yeux fermés définitivement. L'air sévère, peut-être ? J'ai presque hurlé, à tel point qu'il a mis la main sur ma manche.

— Ne crie pas comme ça. On va t'entendre.

Mais j'étais déchaînée.

— Je sais qu'elle l'a aimé jadis ! Pourquoi me le rappeler ? Comme je sais que toi et moi avons failli nous marier, je sais tout ça. Mais ne peux-tu comprendre que c'est un passé qui ne compte plus ? Finalement, vous avez été très chics, vous nous avez permis de nous marier, Janos et moi. Mais c'était pour toujours. Je veux que tu le saches, une fois pour toutes. Pour toujours ! Un amour comme le nôtre ne meurt pas. Même s'il dégringole du haut d'une falaise dans la mer.

Il a dit, avec son calme exaspérant :

— Allons, allons, ne te monte pas. Je vais acheter des éclairs au chocolat pour le goûter ; tu les aimes... Non, Natacha ne t'écrira pas avant longtemps. Et elle a le droit, tout comme toi, de pleurer Janos. Rentrons et passons par la pâtisserie.

Ni plus, ni moins. Vraiment, il y a des moments où je le battrais !

CHAPITRE II

Dimanche.

Tony est parti pour quelques jours en voyage d'affaires. Au moins, j'aurai la paix. Cela me fait du bien. Avant son départ, il m'a fait signer des tas de papiers auxquels je ne comprends rien. Il m'a fait promettre de ne pas lire un seul journal.

Mais, même de ça, je n'ai pas envie. Janos est à moi, à moi seule. Et c'est pourquoi j'accepte d'écrire dans ce cahier. Je n'aurais jamais cru, les premiers jours, que quelque chose pouvait encore donner une sensation qui ressemblât — oh! de très loin! — à du soulagement.

Tony a insisté : « Tu écrivais, quand tu étais jeune fille, une espèce de journal. Tu me l'as montré. C'était très gentil, très naïf. Tu avais encore tant à apprendre ! »

Il peut bien le dire ! Je n'ai commencé à vivre qu'en aimant Janos, et alors, j'ai cessé d'écrire. On n'a plus le temps, tellement on est occupé à aimer ou à souffrir, à espérer ou à désespérer. Ou même à travailler. Je me suis cherchée longtemps, en tout cas, et je ne me suis trouvée qu'en Janos. Maintenant que je n'ai plus de lui que des images, des sons, des parfums que je recrée, il me semble qu'en effet cela me fait du bien de noircir ces pages blanches. Cela efface l'horreur.

Le petit Antoine ? Par raisonnement, je me reproche ce vide que j'ai au cœur. Ce devrait être le contraire, mais sans doute suis-je plus épouse que mère. J'ai cru, pourtant, toucher au maximum du bonheur quand je l'ai mis au monde, que j'ai senti sa petite tête chaude frôler mes cuisses, et que j'ai entendu son premier cri qui semblait m'appeler au secours. Oui, pauvre petit, tu pouvais bien souffrir de pénétrer dans ce monde cruel où l'on vous arrache à ceux que vous aimez ! Mais moi, je pleurais de joie en serrant ce tout petit corps contre moi. J'oubliais que Janos n'était pas là. A ce moment, je pensais : « C'est un peu lui qui est revenu ! »

Maintenant, que je me sens vide !

30 octobre.

Ça ne va pas. Comme si je n'avais pas assez de chagrin, il a fallu que je me dispute avec Tony. Ne comprend-il pas qu'il me crispe, me révolte ? Voici comment cela s'est passé. Quatre jours après son départ, j'ai été assommée par des tas de soucis, de bêtises qui m'empêchaient de penser à l'aise à Janos. J'ai reçu un papier auquel je n'ai rien compris, une histoire d'impôts sur l'appartement de l'île. Et puis, des notes. Quand on a éprouvé une très grande douleur, on croirait que les petits soucis ne peuvent plus toucher. Erreur ! Cette lettre m'a agacée comme le moustique qu'on guette la nuit. Il se terre dans l'obscurité pour recommencer à grésiller au bou* d'un moment, s'approche, s'éloigne et se pose chaque fois qu'on allume, invisible, caché dans les dessins du papier mural ou derrière un meuble.

Tout cela explique un peu la grande colère que j'ai piquée contre Tony. J'étais pourtant dans de bonnes dispositions, car de le contempler là, vautré dans un des fauteuils du salon, à sa manière décontractée, mais — comment dire ? — vivante, me réconfortait malgré tout. J'allais voir la fin de mes soucis. J'ai été chercher les papiers dans mon secrétaire pendant qu'il buvait une tasse de café.

Il a jeté un coup d'œil sur le tout.

— Diable !... Toujours ces factures... Comment les as-tu accumulées ?

Cela déjà m'exaspérait. Je n'avais rien accumulé du tout. On venait de me les envoyer ! Et puis, comme toujours, cet air protecteur ! Il a commencé par me faire la leçon sur mon apathie, par me faire remarquer que Jane avait besoin d'aide.

— Qu'elle demande à la femme de ménage de revenir !

Il m'a regardée de ce même air exaspérant et indulgent qu'on a pour un enfant.

— Tu vois que tu n'essaies même pas de comprendre la situation.

— Quelle situation ? Natacha m'a donné cet appartement. Janos a gagné une fortune... en... en donnant des concerts.

Je me suis mise à crier avec rage :

— Et puis, pourquoi faut-il que tu me rappelles constamment mon malheur ? Des économies. Soit.

J'en fais ! Je ne mets pas le nez dehors, je ne dépense rien pour ma toilette, je ne reçois personne. Sauf toi !

Il a sursauté. A peine, mais assez pour que je le voie. Il a dû être furieux, bien que son ton demeurât uni.

— Evidemment, je représente sans doute quelques frais de nourriture.

Cela a achevé de me mettre en colère.

— Tu sais très bien que ce n'est pas ça que je voulais dire. Faut-il que j'ajoute que tu me rends assez de services, que tu es assez... dévoué, pour que le moins que je puisse faire soit de te recevoir. Tu es méchant !

Et c'est vrai. Je sens que j'ai eu raison de me fâcher. J'étais hors de moi.

Il a dit, avec ce calme qui ne sert qu'à me pousser à bout :

— Tu sais parfaitement que tu dis des sottises. Je n'ai jamais pensé que de tels problèmes existaient entre nous. Il me semblait que notre amitié les effaçait. Dans un sens comme dans l'autre.

— C'est vrai, mais il y a des limites ! Tu exagères, Tony. En somme, tu t'arroges le droit de régenter toute ma vie. Depuis des mois, d'ailleurs, depuis que j'ai perdu mon Janos, car je l'ai perdu, quand il est parti pour les Etats-Unis !

J'ai éclaté en sanglots. Il s'est contenté de jeter les papiers sur la table et de sortir en me lançant paisiblement, comme s'il me disait qu'il allait chercher des cigarettes :

— Dans ce cas, ma petite Cathy, je te laisse à ta

liberté retrouvée. Tu as raison, j'ai sans doute cédé à mon goût de l'autorité. Bonsoir.

J'en ai assez ! Faire des économies ! Comme si j'étais déraisonnable en quoi que ce soit ! Ce n'est pas Natacha qui aurait parlé comme cela. Elle était si généreuse. Et tout à coup, je suis prise par une nostalgie terrible de son affection. Tout le passé est effacé, je voudrais qu'elle revienne de son lointain Japon. J'ai besoin de ses bras, du parfum de ses cheveux. Natacha !

Jamais je n'oublierai ce qu'elle a fait pour moi, jamais ! Et pour lui aussi, Janos, mon seul amour !

Les larmes m'étouffent.

Quand Natacha apprendra l'horrible nouvelle, elle sera désespérée, car elle a dû conserver un sentiment ineffaçable pour Janos. Il ne peut en être autrement quand on a aimé un homme tel que lui. C'est pourquoi j'ai besoin de la revoir. Qui pourra le pleurer avec moi comme elle ? Pas Tony qui, forcément, a dû toujours jalouser secrètement mon mari. C'est sans doute pour cela qu'il me tyrannise maintenant.

Mais ces papiers ? Il faudra donc que j'aille à la banque m'en occuper ? Je n'en ai pas le courage. Pas le courage...

Le lendemain.

Je lui ai téléphoné. Il est revenu hier soir, paisible et souriant. Moi, je n'étais pas tout à fait à l'aise. Comme si Jane avait deviné notre petite brouille, elle s'était surpassée pour le dîner. Après, il a été d'une politesse exagérée en me demandant s'il pouvait mettre un disque. Je supporte d'entendre de la musique depuis quelques jours, pourvu que ce ne soit pas une pièce pour piano.

Le disque terminé (il voulait me faire entendre du Messiaen que je n'ai d'ailleurs pas écouté), il a tendu la main.

— Donne-moi ces papiers. Je m'en occuperai demain si tu veux.

Avec un grand effort, j'ai soupiré :

— Il ne faut pas m'en vouloir, Tony. Je suis devenue très irritable. Je ne me reconnais pas toujours moi-même.

Il se tapotait les doigts en me regardant d'un air dubitatif.

— Oui, il est temps que tu renonces à ne penser qu'à ta petite personne, à ton chagrin...

J'ai failli me remettre en colère.

— Comment peux-tu me dire cela ! Quand on a subi un choc pareil...

— D'accord, il a été terrible, mais tu n'as pas le droit d'oublier ton pauvre gosse, qui n'a pas demandé à venir au monde. Il est là, maintenant. Et en fait, il doit, pour toi, être la continuation de Janos.

Il s'est penché en avant et, comme toujours (ce qui m'irrite d'ailleurs), je me suis sentie désarmée devant lui. Il a un regard tellement lucide, malgré son apparente légèreté.

— Mon petit, je voudrais que tu me répondes franchement.

— Pourquoi veux-tu dramatiser tout, Tony ? ai-je grogné, mal à l'aise. Vas-y, je t'écoute.

— Je ne dramatise pas. Je te demande seulement

de reconnaître loyalement que, malgré tout, tu te raccroches encore à la vie.

Exactement ce qu'il ne fallait pas me dire !

J'ai bondi :

— Non, je ne me raccroche pas. C'est seulement un reste de principes religieux sans doute, et surtout, je l'avoue, une grande lâcheté. Si quelqu'un avait pu me délivrer de la vie, Tony !... Je te jure...

J'avais la gorge tellement serrée qu'elle me faisait mal. Et en même temps, il y avait en moi comme une espèce de honte. Il l'a devinée.

— Admettons-le pour les tout premiers jours. Nous avons été très inquiets, Jane et moi. Mais plus depuis. Tu as un corps solide malgré sa fausse fragilité et ta taille que je tiendrais entre mes dix doigts.

Il a eu l'air tellement bon à ce moment que les larmes me sont montées aux yeux. Est-ce que je vais recommencer à être cette créature de jadis, constamment en pleurs ?

— Tu n'es plus une enfant, Cathy. Tu as connu la passion, la douceur et peut-être le désenchantement inavoué de l'amour. Non, ne proteste pas. Je veux dire que tu as tellement voulu Janos pour toi seule, que tu as dû avoir du mal à t'adapter à sa vie d'artiste. Tu as beaucoup demandé à l'amour et je reconnais que tu as donné tout de toi-même à ton mari. Il a eu bien de la chance !

Son ton a légèrement changé. Pas étonnant, puisque le pauvre a cru, un temps, qu'il serait, lui, ce mari. Mais je ne l'ai jamais aimé comme j'ai aimé Janos, avec cet abandon total de ma personnalité.

— Bon, ceci admis, Janos est mort, maintenant. Et la vie continue. Tu n'as jamais réellement voulu mourir.

— Mais si !

— Des mots dont tu te grisais pour lutter contre ta douleur. Fais face à la vérité, mon petit chéri. Tu as aimé Janos quand il vivait, de toutes tes forces, avec un absolu désintéressement. Maintenant, tu restes seule. Et, bon gré .mal gré, tu dois te rendre à l'évidence. Tu ne l'acceptes pas et tu te complais dans une délectation morbide. C'est ça qui m'effraie. Je connais d'autres femmes qui ont beaucoup souffert et qui, presque tout de suite, ont offert cette souffrance à la vie, comme d'autres l'offrent à Dieu.

Je ne pouvais rencontrer ses yeux, vraiment, car je me disais : « Il a raison ! » Et j'enrageais, c'est le mot.

Pourtant, il a été très gentil, très doux, en continuant :

— Je sais que tu n'y peux rien. J'aimerais pourtant, au nom de notre vieille amitié, que tu fasses un effort, que tu te remettes à quelques travaux, même de stupides travaux ménagers. Mais surtout, que tu écrives ce qui s'est passé depuis ton mariage.

J'ai presque hurlé :

— Non, non !

— Mais si, crois-moi.

J'ai faibli soudain :

— Mais comment veux-tu que j'écrive cela ?

Il s'est levé à sa manière décontractée.

— Mais tout bêtement. A la première personne, bien sûr, et je suppose au passé défini, si c'est encore

comme cela qu'on le désigne. Tu diras ce que tu
penses, du moins, je l'espère ! Allons, je m'en vais...
Crois-moi, cela te fera du bien. En écrivant, peut-
être verras-tu les problèmes des autres et cesseras-tu
de ne songer qu'à toi-même.

J'étais furieuse qu'il me croie si égoïste. Je le lui ai
dit.

Loin d'être impressionné, il m'a passé un bras
autour des épaules avec une petite secousse affec-
tueuse.

— Reconnais que j'ai raison. Tu vois, mon petit,
Janos par exemple ?... Tu passes ton temps à te
lamenter à la pensée de vivre sans lui. Mais lui,
justement ? Y penses-tu ?

Et comme je protestais, suffoquée.

— C'est comme cela. C'est terrible de mourir si
jeune, mais tu en parles à peine ! « Qu'est-ce que je
vais faire sans lui... Il était toute ma vie, etc. » Ne te
fâche pas. Je sais que ta réaction est humaine, et nous
sommes tous comme cela. Pourtant, il faut que tu
reprennes goût à une existence équilibrée : je suis
convaincu que c'est le meilleur moyen d'y arriver.
Retrempe-toi dans tes souvenirs, donne à ton mari, à
ton amour, sa véritable dimension et ainsi tu arrive-
ras à...

Il a hésité.

— ... Oui, mon chou, sois sincère. Pour toi,
comme pour les autres. Et entre nous, cesse donc
d'exalter ton mari. Comme tout le monde, y compris
moi, bien que ma cote ait beaucoup baissé depuis
quelque temps ! Tâche de recréer ta vie avec Janos
sur le plan de la réalité. Quelque chose me dit que

cela t'aidera. Ne triche pas avec la vérité, Cathy.
Jamais !

Voilà ce qu'il m'a dit. Au premier moment, j'ai été
choquée. La porte avait claqué depuis longtemps que
j'étais encore là, la bouche ouverte, les yeux vagues.
Il a peut-être raison, dans un sens. Il y a parfois en
moi des éclairs de lucidité, le besoin de ne pas me
leurrer sur moi-même. Mais non pas sur la force de
mon amour pour Janos. Que Tony ne se fasse pas
d'illusions et ne s'imagine pas que, lorsque j'aurai
écrit ce qui s'est passé depuis mon mariage, et qui,
forcément, est souvent flatteur pour lui, je tomberai
dans ses bras !

Je suis devant le cahier, stylo à la main. Je ne sais
par où commencer...

Ne pas me raconter une belle histoire à moi-même,
avoir le courage de m'analyser. Ennuyeux ?

Non, car je retrouverai Janos.

Après avoir renoncé à Janos, Natacha s'était
envolée vers l'Amérique du Sud sans même me
revoir. Tony ne tarda pas à la suivre, non sans avoir
mis mes affaires en ordre. Et renoncé à moi, de son
côté.

Nous étions complètement aveuglés par notre
amour, Janos et moi surtout, complètement ahuris.
La veille, nous étions deux victimes, prêtes à sacrifier
notre bonheur à la gratitude et à l'affection. A
présent, nous avions enfin le droit de nous aimer.

C'est peut-être honteux, mais, dès cet instant, nous
oubliâmes ceux-là mêmes qui avaient tenu une telle
place dans notre vie et qui, en définitive, s'étaient
conduits si généreusement.

Nous nous mariâmes, bien sûr, dans les délais les plus courts. Je me souviens surtout d'un taxi au chauffeur hilare, d'une course de la mairie à l'église, et, puisque nous étions désormais seuls au monde, de témoins d'occasion dont l'un avait un nez couleur aubergine. Je me souviens aussi du regard de Janos quand il a bégayé un « oui » presque inaudible. Et du mien encore plus faible. Notre fuite vers le bonheur s'estompe dans une brume étrange. Les images ne reviennent à la surface que lorsque nous avons débarqué de l'avion.

Voyage de noces ! Merveilleuse parenthèse. Je ne réalisais pas encore que c'est un moment unique et fugitif. Je croyais qu'il durerait toujours. Oh ! comme il aurait dû durer toujours !

J'étais plongée dans la plus exquise des stupeurs. Découvrir la joie de vivre avec l'homme qu'on aime !

Stupeur de tous les instants. La passion presque sauvage dont il m'entourait, qui me laissait toute tremblante dans ses bras.

La douceur de m'endormir, son corps près du mien, dans une tendresse amoureuse. La main jetée par-dessus mon flanc ne voulait pas me lâcher si je faisais mine de m'éloigner. Les mots qu'il chuchotait alors, tout endormi dans mon cou, impérieux quand même :

« *Mein Schatz* (1), *mein Schatz,* ne bouge pas ! » Ses exclamations en allemand, sa voix rauque, un peu fêlée, avec son accent revenant au viennois de son enfance, ses bras qui se resserraient tout à coup.

(1) Mon trésor.

Oui, c'était la révélation de l'amour et surtout l'orgueil de le rendre heureux. J'étais encore une telle petite fille, alors ! Je doutais de moi-même. Je me trouvais timide, maladroite. Non, disait-il, il aimait cette fragilité, cette jeunesse, cette naïveté, cet innocent abandon, ce romantisme démodé...

Il y avait les joies du jour. Le réveil. Janos qui grognait en s'étirant, se levait, le torse nu, trébuchant jusqu'à la salle de bains. « J'ai la bouche pâteuse, j'ai pris trop de chianti. Où as-tu mis le dentifrice ? »

Je le grondais, trouvant qu'il buvait trop facilement.

Je l'entendais s'ébrouer dans la salle de bains, chantonner en cherchant des harmonies dans le jaillissement de l'eau. Il revenait en rejetant de son front ses cheveux humides. Et j'admirais son corps vigoureux, musclé en force, son visage si caractéristique. Un Beethoven, mais plus fin sans doute. Plus doux ? Peut-être. Je savais que j'avais épousé un génie. Pourtant, pendant ces merveilleuses semaines, mon mari n'avait pas touché un piano. Il disait qu'il ne se consacrait qu'à sa « petite femme, sa femme-enfant. »

En vérité, j'ai vécu tout ce mois avec Janos, en Janos, pour Janos. Je guettais ses moindres mots, plus fascinée par sa manière de les prononcer que par ce qu'il me disait.

Il se fâchait parfois. « Tu ne m'écoutes pas ! Tu rêves ! »

Je disais en riant : « Non, je te regarde !... » Il haussait les épaules (mais avec tant de gentillesse). « Enfant, va ! »

Vivre avec lui, dans son ombre, l'entendre rire ou jurer, discuter avec feu pendant des heures, sans que je comprenne toujours ce qu'il voulait dire, me suffisait. C'était un homme d'exception, un esprit ouvert à tout, d'une générosité constante. Et c'est terrible, inimaginable de penser que le monde est privé de lui.

Quant à moi, si je n'étais pas aussi lâche, je ne devrais pas accepter de vivre sans lui.

Et pourtant, je vis ! Avec mes souvenirs...

Nous allions sans nous presser, d'un endroit à l'autre, de paysage en paysage, sous des lumières différentes. Parfois, pendant nos randonnées, nous nous arrêtions devant quelque point de vue et il restait muet, le bras jeté autour de moi, les doigts dans le creux chaud de ma hanche. Ou bien, il m'éblouissait par ses remarques enthousiastes, ses touches si justes, si originales, parfois excessives. Et je ne voyais guère le paysage qu'à travers lui. Peut-être est-ce mal d'avoir aimé avec une violence telle qu'elle effaçait tout le reste. Je demeurais le plus souvent muette et Janos appréciait probablement cette adoration silencieuse.

Souvenirs légers, fugaces, délicieux.

CHAPITRE III

Nous allâmes à Venise. J'y avais séjourné avec Natacha quelques années auparavant. Mais il me sembla découvrir la ville, la sentir, plutôt. Je remarquai pour la première fois, grâce à Janos, cet amalgame de styles où le pire voisine avec le goût le plus délicat, ce fouillis de sculptures, ces palais qui se succèdent, charmants ou grandioses, encadrés par le ciel et l'eau moirée. Par lui, j'appris à admirer les Carpaccio dans une chapelle chatoyant d'or, à suivre les dédales invraisemblables des ruelles bordées d'une eau animée et terriblement odorante. Tout me paraissait merveilleux. Je découvris aussi l'immense rumeur faite de milliers de rires, d'exclamations, de cris, qui plane sur cette ville.

Et puis, ce ciel sonore, au moment où, dans l'air bleu, la grosse « Marangona » et ses sœurs déversaient de voluptueuses cadences.

Les piazze aussi, où nous allions, hanche contre hanche, les mains nouées. J'étais fière d'être au bras d'un des plus grands pianistes du monde et de penser qu'en ce moment il ne vivait que pour moi, oublieux même de son piano.

Le soir, nous prenions une gondole et nous écoutions la voix de Venise dans la nuit, nous embrassant à perdre haleine...

Venise ! Un des plus beaux souvenirs de ces jours inoubliables.

Nous allâmes ensuite à Vienne. Mon mari voulait revoir la petite salle près de Jozefplatz où il avait donné son premier récital, où Natacha avait découvert son immense talent.

Un généreux pourboire au concierge nous avait introduits dans la salle déserte. Et nous étions là, serrés l'un contre l'autre, au milieu d'une salle à peine éclairée où il faisait très froid et où régnaient le vide, la poussière, le délabrement.

Nous regardions l'estrade où il s'était jadis assis à son piano, le cœur barbouillé à la fois d'angoisse et d'orgueil.

Je murmurai :

— Si tu l'avais vue, Natacha... Là, dans cette loge sur le côté. Toujours fine et charmante. Elle avait accepté de venir pour faire plaisir à cette brave femme dont j'ai oublié le nom. Te souviens-tu ?

— Si je me souviens ! C'était Frau Adler.

— Elle était prête à s'ennuyer jusqu'à ce que tu apparaisses et que tu joues. Alors... oh ! Janos !...

Ma tête tomba sur son épaule. Et nous restâmes longtemps silencieux. J'avais les yeux humides en pensant à la bonté, au sacrifice de ma belle-mère. Je la comprenais mieux, maintenant que j'étais femme. On ne pouvait aimer un homme pareil et ne pas souffrir. Je le pressentais confusément.

La veille de notre retour à Paris, je pleurai comme

une enfant. Pour la première fois depuis notre
mariage, Janos fronça le sourcil et grommela.

— Qu'as-tu à pleurnicher comme cela ? Le fait
que nous rentrions ne change rien, que diable ! Je
t'aime, n'est-ce pas, petite sotte chérie !

Un instant plus tard, il m'attirait d'un geste bourru
d'abord, tendre ensuite. Il n'y en avait pas moins
dans ses yeux gris une petite lueur qui excitait ma
jalousie. Il pensait à la musique !

Rien ne me donnait plus de joie que d'entendre
jouer Janos. Mais pour moi seule ! Dieu ! que j'étais
violente, farouche même, sans oser l'avouer à mon
mari. Je détestais quitter le rêve que nous vivions.

Puis, quand nous fûmes à Paris, dans un taxi
roulant vers l'île Saint-Louis, à l'heure de pointe, une
autre pensée s'empara de moi.

Natacha ! Nous allions rentrer dans l'appartement.
Je palpais dans mon sac le ravissant porte-clefs en
cuir de Russie que Tony, en me quittant, m'avait
remis avec sa façon caractéristique de se moquer des
autres et de lui-même : « Tiens, voici le trousseau de
Natacha, qui consacre sa défaite et la mienne. Elle
m'a dit : « Donne-le à la petite. Moi, je ne remettrai
pas les pieds de longtemps à Paris ou à Londres. La
terre est assez grande pour que j'y trouve de quoi
travailler et me distraire. » Te dire si c'est avec moi
qu'elle compte réaliser ce joli programme, mon
chou, je t'en laisse juge ! »

(Je ne sais encore à l'heure qu'il est comment il l'a
aidée à oublier cet amour qui avait failli me coûter
mon bonheur. Il ne m'en a jamais parlé.)

Nous pouvions donc disposer de cet appartement

au charme désuet que j'aimais d'ailleurs énormément mais où j'avais versé pas mal de larmes.

Ce n'était pas cela, ni l'idée de retrouver l'atmosphère de mon adolescence qui me tourmentait. C'était comme un vent soudain qui se lève, apportant une rumeur lointaine. Comme toujours, lorsque je pensais à Natacha, je ne pouvais la séparer de son art. Sa voix unique et chaude flottait autour de son souvenir.

Janos aussi était silencieux quand le taxi s'arrêta quai Bourbon. Il sauta sur le trottoir et m'aida à descendre. Pendant qu'il payait le chauffeur, je regardai autour de moi, étonnée de me sentir le cœur si lourd. C'était pourtant toujours ce même quai paisible, suivant la Seine qui roulait à nos côtés. Il s'élevait déjà une vague odeur de flétrissure. L'été s'achevait. C'était plus sensible encore pour nous qui venions de régions où la chaleur persistait.

Un moment, nous demeurâmes serrés l'un contre l'autre, les valises à nos pieds, à regarder les vieux hôtels, les portes cochères vétustes et les plaques commémoratives dont, enfant, j'avais lu si souvent les textes désuets.

— Alors, me dit Janos (et déjà, je lui trouvais une autre voix), nous rentrons ?... Tu es contente ? Nous voici chez nous...

Je répondis vivement :

— Pas chez nous !... Oh ! Janos ! c'est en attendant, bien sûr.

Je revois ses yeux si profondément enfoncés dans leurs orbites sous ses sourcils arqués. Comme s'il était là, vivant, devant moi et j'ai envie de tendre les mains !... Qu'a-t-il pensé à ce moment ? A-t-il senti mon désarroi ? C'était stupide, peu généreux, en somme, mais j'en voulais presque à Natacha et à Tony d'avoir ainsi réglé notre existence, surtout si royalement.

Du coude, il poussa la petite porte découpée dans l'entrée cochère.

— Toujours la même vieille cour avec ses pavés inégaux et son arbre.

— Ce n'est pas le mien, dis-je machinalement, celui que je voyais de ma chambre est dans une des petites cours intérieures.

Il enleva les valises comme une plume, les déposa dans l'entrée, puis glissa son bras sous le mien. Sa chaleur me reconforta et je me traitai de sotte trop sentimentale.

La concierge n'était pas dans sa loge et nous nous engageâmes dans le grand hall d'entrée.

— Pourvu qu'il ne fasse pas trop humide. J'ai un peu peur pour le piano, dit Janos avec une soudaine agitation.

— La concierge avait l'ordre d'aérer, sûrement.

— Tu t'y connais en chauffage, si nous voulons l'allumer ? Je me sens gelé depuis notre arrivée à Orly.

— Il suffit de tourner un bouton dans le grand salon. Il est réglé principalement sur cette pièce.

Nous échangions ces propos machinalement en nous engageant dans le splendide escalier à la rampe en fer forgé.

Et soudain, je vis Natacha devant moi, phantasme qui me faisait battre le cœur à longs coups sourds.

Elle montait lentement, avec sa grâce un peu
sérieuse. En somme, souple, ondulante, intensément
féminine, elle aurait dû vivre au XVIIIᵉ siècle. Elle
avait un port de tête unique, un buste ravissant, des
jambes longues, une démarche d'une dignité charmante que j'avais toujours admirée. Oui, je la revis
ce jour-là, en revenant de voyage de noces, et je me
demande parfois maintenant si ce n'était pas une
vision prophétique qui me mettait en garde contre le
malheur à venir. J'éprouvais un sentiment de tristesse poignante à laquelle se mêlait l'immense affection que j'avais toujours eue pour elle.

Je me penchai. Janos regardait droit devant lui. La
voyait-il comme moi ?

Ah ! c'est parfois difficile d'être tout à fait sincère
avec soi-même. J'aimerais pouvoir dire que nous ne
faisions qu'un, alors. Pourtant, malgré tout notre
amour, nous restions chacun dans un monde distinct.
Ou plutôt, Janos gardait farouchement un coin de
son âme à lui, alors que je rêvais de lui livrer la
mienne. Avait-il, lui aussi, un remords cuisant en
pensant au chagrin de Natacha qui l'avait tant aimé ?

L'impression s'effaça. Nous étions devant la lourde
porte ouvragée.

— Tu as les clefs ? dit mon mari.

Sa voix était très naturelle.

— Oui, les voici !

Il voulut ouvrir.

— Quelle vieille serrure ! grommela-t-il, vite
agacé.

— Tu ne sais pas t'y prendre. Passe-moi la clef.

Je l'avais ouverte si souvent, cette porte !

Et nous eûmes la surprise de notre vie.

Au moment où nous entrions, la lumière du hall s'alluma. Jane était là, avec ce sourire un peu réticent qui était le sien.

Je courus en avant :

— Jane ! Ma vieille Jane ! Je te croyais avec Madame.

Avec sa retenue toute britannique, elle se laissa embrasser en murmurant, la voix un peu brisée :

— Miss Cathy ! Je suis heureuse de vous revoir. Non, je ne suis pas avec Madame. Moi, au Japon ! vous n'y pensez pas ! Chez ces gens avec leurs yeux qui remontent, qui vivent dans des maisons de papier et qui mangent avec des bâtons... Non.

Elle avait reculé et me souriait à sa manière qui n'était jamais chaleureuse, mais je lui savais un cœur fidèle. Elle portait son impeccable tablier blanc et une coiffe éblouissante qui contrastait avec ses cheveux gris. Tout était gris chez elle, d'ailleurs. J'étais heureuse de la revoir. Elle tourna les yeux vers Janos et lui fit une espèce de révérence, tribut dû au mâle, mais je la connaissais ! Jane ne changerait jamais d'opinion. « M. Ruhska n'était pas un gentleman » et elle eût certainement beaucoup préféré me voir revenir avec Tony. Mais elle était trop stylée pour le montrer ouvertement.

Janos ne put retenir un sourire, ce qui me rassura.

Il s'avança et lui prit les deux mains d'un geste particulièrement chaleureux.

— Jane ! Moi aussi, je suis content de vous revoir. Quelle surprise !

Elle parut légèrement étonnée, peut-être agréablement. Après tout, c'était un homme. Et l'homme aurait toujours pour elle un curieux prestige, même si elle s'en méfiait.

— Après le départ de Madame, Miss Cathy, M. Mac Allan m'a conseillé d'aller me reposer dans ma famille. Ce que j'ai fait. Mais il m'avait recommandé de revenir à l'appartement dans le cas où vous aimeriez vous y installer en rentrant de voyage. Il y a huit jours que je suis ici et je peux me flatter que tout se trouve dans un ordre parfait.

Elle eut l'ombre d'un sourire sans modestie. Elle avait une très haute — et très justifiée — opinion de ses talents.

Elle s'effaça et prit le manteau de Janos en continuant :

— Dans dix minutes, j'apporterai le thé au salon, Miss Cathy.

Ça, Janos n'avait qu'à s'y habituer ! Pour elle, je serais toujours « Miss Cathy » ! Il se contenta de sourire.

Je demandai :

— Où nous as-tu installés, Jane ?

Elle pinça légèrement les lèvres :

— J'attendais votre retour. Toutes les chambres sont prêtes, d'ailleurs.

Je me sentis violemment rougir.

Choisirions-nous la chambre de Natacha qui aurait dû être la sienne et celle de Janos s'ils s'étaient mariés ? Je ne pris pas le temps de consulter mon mari et, pour cacher ma confusion, l'entraînai par le bras en disant :

— Je crois que ma chambre fera très bien l'affaire.

Elle est aussi grande et aussi belle que celle de Natacha. Et puis, si Madame revient, elle aimera naturellement retrouver la sienne telle qu'elle l'a laissée, n'est-ce pas, Jane ?

Je n'avais jamais pu deviner ce qu'elle pensait de notre chassé-croisé ! Elle ne broncha pas plus qu'avant et dit simplement :

— Pendant que vous prendrez le thé, j'irai préparer le lit. C'est un lit de deux personnes. A moins que M. Ruhska ne préfère...

Ses yeux étaient parfaitement inexpressifs. Mais Janos s'écria aussitôt :

— Non, non... je déteste les lits jumeaux ! S'il est trop étroit, nous le ferons changer, n'est-ce pas, chérie ?

— C'est inutile. C'est un divan énorme. Ce sera parfait.

Un instant plus tard, j'entrais dans la pièce avec la curieuse sensation que je ne l'avais jamais quittée. Grâce à Jane, sans doute, qui, pendant huit jours, avait fait disparaître de l'appartement l'impression d'abandon, cette subtile différence dans l'atmosphère, qu'on serait bien en peine de définir.

Je lançai mon sac de voyage sur le lit qui, en effet, était immense et me jetai dans les bras de Janos. Il les referma, pressant.

— Jane nous attend ! me défendai-je.

Il fit la grimace, mais je me sentis plus heureuse. Si, comme moi, il ressentait la pénible sensation de ce retour, il n'en était pas moins amoureux.

Au bout d'un moment :

— Nous aurions peut-être mieux fait de nous

installer à l'hôtel avant de prendre une décision, mon amour. J'ai été égoïste en insistant pour revenir ici, j'ai surtout pensé au piano !

Il était vrai qu'il m'en avait parlé lorsque nous avions hésité. Son piano ! Celui que Natacha, à grands frais, avait fait installer exprès pour lui.

— Non, non, dis-je en lui couvrant les joues, les lèvres, de baisers précipités, je suis très heureuse. Ce n'est qu'une impression momentanée. Il faut être logique que ce soit « eux » et pas nous !… Je veux dire que toi et moi qui nous aimons et eux…

Ma voix était rauque.

Il enfouit ses lèvres dans mon cou. Puis, se redressant :

— Tu t'embrouilles ! Et puis… ne sois pas dure, chérie… Ça n'a pas dû être drôle ni pour l'un ni pour l'autre. Mais tu as raison. Viens, allons prendre ce thé. Je sais que Jane le prépare admirablement. Et tous ces trucs anglais si savoureux !

— Des scones et son célèbre cake.

Ce fut Tony qui revint alors sur la scène. Et un instant, ses yeux bleus qui se moquaient de lui-même brillèrent dans mon souvenir. Il les aimait tant, les scones de Jane ! Où était-il ? Je sentis peut-être à ce moment, oui, pour la première fois depuis notre voyage de noces, que nous étions d'un égoïsme impitoyable. Mais, d'un mouvement des épaules, j'écartai cette agaçante pensée.

Nous entrâmes dans l'immense salon. Le beau salon de Natacha…

Je ne dis rien, mais intérieurement, je pris la

résolution de persuader Janos de nous créer sans tarder notre intérieur à nous.

Faire mieux était cependant difficile. Dans le cadre parfait de boiseries pâlies, des meubles et des tableaux anciens et modernes.

Le foyer ouvert était toujours aussi accueillant. A peine entrée, je sombrai dans un immense fauteuil, car je me sentais moulue, presque malade d'une fatigue anormale.

Mais Janos, lui, alla droit vers le piano.

J'avais ramené les jambes sous moi. Le salon nous entourait de ses recoins d'ombre aux reflets familiers. Toute mon enfance était ici. Pas toute, puisque Natacha et moi étions souvent aux quatre coins de l'Europe. Mais Paris et Londres avaient toujours été un port d'attache pour ma belle-mère.

Est-ce son souvenir, la force de sa personnalité qui dominait ? Maintenant, je le crois. A ce moment, je ne comprends pas mon malaise, la gorge serrée tout à coup, alors que, pendant des semaines, j'avais rayonné d'une joie inexprimable.

Dans la pénombre (il n'avait rien allumé auprès de lui), la tête de Janos émergeait derrière l'instrument. Il était d'une beauté saisissante. Quand il se mettait à jouer, il se transfigurait. Les bûches craquaient et lançaient des éclats soudains qui sculptaient ses méplats, la ligne à la fois dure et voluptueuse des lèvres, du menton, et châtoyaient sur sa tignasse en perpétuel désordre.

Il laissait aller les doigts sur les touches, un peu à la manière d'un homme qui caresse celle qu'il aime, avec une lenteur calculée, une retenue de tout son désir. Puis, tout à coup, il frappa quelques accords en grommelant quelque chose que je ne compris pas bien, mais devinai. Il se réjouissait de retrouver l'instrument en aussi bon état et aussi parfaitement accordé. Puis, pendant quelques minutes, il passa d'un thème à une phrase de l'un ou l'autre de ses maîtres favoris, comme s'il voulait renouer avec eux.

Et il ne m'avait pas regardée une seule fois ! Déjà je souffrais, je me révoltais. « Pourquoi ne me dit-il rien ? Il pourrait partager sa joie avec moi ! Je n'existe plus pour lui. Sa musique lui suffit. Il m'a aimée parce qu'il est un homme et que je suis jeune et fraîche. Maintenant, c'est fini, je ne compte plus. Ah ! qu'il lève la tête un instant, que je rencontre ses yeux, qu'ils me sourient comme ils le font parfois sans que sa bouche s'en mêle ! »

Ainsi, je m'exaltais, je me grisais, sans voir flotter autour de sa tête, l'ombre de son destin, moi qui l'aimais tant ! Non, je demandais tout, parce que je donnais tout.

Jane entra, poussant une coquette desserte roulante, chargée d'un goûter appétissant. La vieille fille sentit que ce n'était pas le moment de distraire « M. Ruhska » et, sur la pointe des pieds, vint installer la table près de moi. Elle se permit de rester immobile un instant, écoutant, séduite malgré elle. Il jouait une petite chose de Satie, ravissante, puis, il glissa dans du Mozart avec ce sens de la fraîcheur, de la fluidité de chaque son qui la fit sourire malgré elle. Elle me lança un coup d'œil admiratif, un peu troublé, qui disait, clair comme le jour : « Quand même, c'est un grand artiste que votre mari, miss Cathy ! »

Je lui souris faiblement. Et elle se retira. Mon cœur se desserrait un peu. Moi aussi, j'étais sous le charme. Dieu, qu'il jouait bien ! Il avait coutume de dire : (et jusqu'à la fin de mes jours, je me répéterai le moindre de ses mots) : « La musique ne doit pas être seulement un produit de l'intelligence, de la technique, elle doit être viscérale. C'est le seul art qui nous permette de nous évader de nous-mêmes en nous libérant. Car en libérant nos émotions physiques, nous libérons l'âme. » Il y était arrivé ! J'étais proprement en larmes au bout de dix minutes, car il ne me regardait pas et je ne pouvais le supporter !

Puis, tout à coup, après avoir égréné une cascade de notes d'un rythme éblouissant, de Bartok, il passa sans transition à la *Sonate au Clair de Lune.*

Notre sonate ! Je m'appuyai au dossier, les yeux sur lui, le souffle retenu.

Il leva alors la tête. Qu'il était beau ! Puis, d'un sourire, il rétablit le merveilleux contact entre nous.

Toute l'amertume fondit. Je me repentis instantanément d'avoir été si puérile, si jalouse.

Comment douter de sa tendresse en m'accrochant à ce regard ?

Il joua entièrement le premier mouvement, et après les simples et délicates arabesques des dernières mesures, il laissa longuement résonner le dernier accord.

Puis, brusquement, il claqua le couvercle et vint à moi en riant de bonheur.

— Eh bien, après ça, j'ai faim, Catherine ! Quel beau goûter nous a préparé ta vierge britannique !

Il s'affala dans le fauteuil en face de moi, les talons plantés devant lui avec un soupir de béatitude.

Il ajouta :

— Quel piano extraordinaire ! Natacha s'y connaît. J'ai souvent hésité entre le Steinway et l'Ibach. J'aime celui-ci, la touche est vivante, nerveuse, sans être dure. Ah ! Catherine, la vie commence demain et elle est belle. Tu verras !

Je murmurai :

— Pour moi, ce sont les semaines que nous venons de passer qui sont la vie.

Il me considéra et s'arrêta un instant, un morceau de cake à mi-chemin de ses lèvres. Puis il secoua sa tête de lion.

— Tu es vraiment une petite fille romantique ! Il n'y a pas que l'amour, les voyages, les repas fins, la beauté ! Il y a ce qui grandit l'homme. La création, sous quelle que forme que ce soit. Même un boulanger peut donner un sens à ce mot !

Il eut son rire très jeune.

— Même cette vieille Jane le possède, l'instinct de création ! C'est sublime, ce petit machin. Allons, souris, femme, souris !... Tu es mon repos du guerrier, mais je n'ai pas l'intention de te le dire du matin au soir.

Puis-je me reprocher l'exaltation que je ressentais à ce moment ? Etait-ce un instinct animal qui me poussait à jouir jalousement de chaque instant de sa présence ? Comme si déjà j'avais su...

Janos me fit un clin d'œil avec un geste impérieux.

Je quittai mon fauteuil et glissai à genoux à côté de lui, la tête sur son genou dur.

Il se pencha et me baisa le cou, là où il palpite. Puis je l'entendis :

— C'est compris une fois pour toutes, Catherine ? Je t'aime.

Ma gorge se serra. Oui, il m'aimait. Et j'ai perdu trop de temps à en douter, j'ai perdu le peu de temps qui nous restait à vivre ensemble !

Janos avait raison. Le rêve s'effaçait derrière nous, la vie commençait.

Je m'en aperçus dès le lendemain. Les répétitions de mon mari reprenaient et il ne supportait pas que j'y assiste. Première épine dans mon flanc. C'était une idée fixe chez lui. Tony a raison. Je comprends maintenant que je n'étais guère raisonnable. Je ne pensais qu'à une chose : le voir rentrer chez nous pour retrouver son regard, son sourire. Mais, bien souvent, quand Janos poussait la porte du salon en tornade vers deux ou trois heures de l'après-midi, il était si éreinté qu'il sombrait dans un fauteuil et réclamait un whisky sans même m'accorder un regard. Et moi, je ne comprenais pas assez l'état de tension nerveuse dans lequel un artiste comme lui peut se trouver. Il demeurait silencieux et sombre. De temps à autre, ses doigts s'agitaient sur son genou. Quelque détail de la répétition le tracassait sans doute.

Au bout de quelques jours de ce régime — il dormait tard, s'éveillait à la dernière minute en grommelant, se précipitait à la salle de bains et partait après avoir avalé un croissant et une tasse de café à réveiller un mort — j'étais complètement démoralisée. S'il ne répétait pas, il travaillait à la maison. J'étais exclue de la pièce, mais au moins je l'entendais ! Il était impitoyable pour lui-même et d'une exigence absolue. Je le découvrais d'une violence incroyable. Quand ça n'allait pas, il abattait ses mains sur le clavier avec rage et il me semblait parfois qu'il allait démolir le piano.

CHAPITRE IV

C'est pendant une de ces séances de travail que je fus convoquée par le notaire de Natacha. J'appris une nouvelle stupéfiante. Pendant notre voyage de noces, ma belle-mère m'avait fait donation de l'appartement de l'île avec ce qu'il contenait à l'exception de quelques tableaux qu'elle demandait à faire envoyer à Londres.

« Ma petite Catherine chérie,

« Je préfère assurer ton avenir immédiatement en te donnant l'appartement. Je ne suis pas toujours très sûre de ne pas me conduire en farfelue ! Je serai plus tranquille ainsi. Faites-en, Janos et toi, ce que vous voudrez.

Je vous souhaite beaucoup de vrai bonheur. Ma tendresse,

« NATACHA. »

Si je veux être tout à fait honnête, j'avoue que j'ai examiné attentivement cette courte lettre. Il me sembla que la plume avait tremblé sur le nom de Janos. Je sais aussi que je levai les yeux sur mon mari pendant qu'il lisait. Il serrait les lèvres, une ombre dans les yeux.

Nous devions déjà beaucoup à Natacha. Cette nouvelle libéralité lui pesait-elle ? Il me vient parfois l'affreux soupçon que ma belle-mère avait voulu marquer sur nous son empreinte. Janos a dû le sentir comme moi. Il n'en dit rien, mais, avec une grande ardeur, il entreprit des transformations.

Au secret scandale de Jane, Janos convoqua deux solides déménageurs. En quelques heures, nous avions complètement bousculé toute l'ordonnance si amoureusement organisée par Natacha. Les immenses canapés changèrent de place, se resserrèrent autour du foyer, d'autres furent remplacés, les meubles voltigèrent, quelques bibelots disparurent. Pendant que Janos travaillait, assis, aveugle et sourd à tout, à son piano, je courais antiquaires et maisons modernes pour rapporter des objets qui fussent à nous, de nous. Janos m'avait donné son portefeuille avec sa négligence de grand seigneur : « Tiens, achète tout ce que tu veux, tout ce qui te plaît, ma Catherine. »

Trois semaines plus tard tout était fini, et nous nous tenions par la taille sur le seuil du salon. Mon mari avait fait envoyer une débauche de roses que j'avais disposées dans tous les coins. Le soleil sabrait les vieux parquets, illuminait les peintures des boiseries, vestiges du salon de Natacha. Quelques lampes très modernes distribuaient une féerie de lumière. Des toiles abstraites posaient leurs problèmes aux murs. Une faïence d'un bleu inoubliable scandalisait un des rares survivants du passé, un meuble ancien et fragile. L'atmosphère avait changé, c'était disparate mais cependant harmonieux et charmant. En un mot, c'était notre œuvre. Pourquoi alors ai-je cru entendre, très lointaine, la voix émouvante de Natacha s'attarder sur l'exquise mélodie l'*Absence,* de Berlioz, dans *Nuits d'été ?*

Cela me frappa au cœur. Je lançai un coup d'œil à Janos. Il n'entendait rien, lui, car il m'embrassa avec enthousiasme en disant :

— Tu es contente de ton vieux mari ? Presque tout ici est à nous, à présent, n'est-ce pas ?

— Tout, sauf la chambre de Natacha, que, décidément, je dois garder telle quelle. Elle reviendra peut-être un jour, mon chéri.

J'achevai très bas : « Quand le temps aura passé. »

Il me serra à m'étouffer et murmura dans mes cheveux :

— Le plus tard possible. Je n'ai besoin que de ma femme.

De tels mots me mettaient le cœur en fête pour plusieurs jours !

Et la vie continua.

Le premier concert de Janos. Je veux dire le premier depuis notre mariage...

Déjà le matin, moi comme lui, étions malades de trac. Jamais il n'avait pu surmonter cette crampe qui lui nouait l'estomac, l'empêchant de rien avaler pendant des heures.

Oui, je me souviens...

Quand je revins du salon de coiffure, Jane me dit que M. Ruhska s'habillait.

Il avait envahi la salle de bains. Elle était aussi

sonore que le concerto de Brahms que Janos allait
jouer. Les robinets coulaient, le rasoir grésillait,
nasillard, et mon époux allait, venait, tandis que, sans
forces, je tombai assise sur le bord du lit.

Je n'osais rien lui dire. Il semblait ne pas me voir.
Pourtant, je crois qu'il était content de me savoir là,
si anxieuse pour lui, content et agacé à la fois.

Il apparut un moment sur le seuil de la salle de
bains et me dit :

— Ne me regarde donc pas comme cela ! Quels
yeux ! On ne va pas me tuer !

— Je sais, je sais... c'est idiot ! Tu joueras comme
toujours, à la perfection.

— Si j'en étais sûr ! Chaque fois, c'est la même
chose, Catherine. Je doute de moi. Et toi aussi, tu
doutes. Dis que tu doutes.

— Je ne doute jamais de toi.

— Ah ! mon trésor, je le sais, je le sais...

Et il enfila son habit, puis me regarda d'un œil
féroce.

— Je parie que tu n'as pas préparé ma chemise de
rechange ?

— Mais si, chéri... Là, dans ta mallette, deux...
tout ce qu'il faut. Je n'oublierais jamais ça, voyons !
Tu vas manger ?

— Je crois que oui... Oui, je dois prendre des
forces. Je me sens faible comme un agneau qui vient
de naître !

— Il est vite sur ses pattes, ne l'oublie pas, Janos !

— C'est vrai, c'est vrai... Mes boutons de chemise ? Où sont-ils ? Je ne trouve jamais rien dans
cette maison !

— Là, devant ton nez.

Peu à peu, parce que l'heure s'avançait, je retrouvai mon sang-froid. Le sien l'abandonnait.

Jane nous servit.

Après s'être lamenté, avoir clamé qu'il ne pourrait rien manger, Janos se mit à engloutir voracement. Mais, sur sa tempe, les légères gouttelettes de la peur brillaient. Et je me disais que les gens ne se rendent pas assez compte de ce que l'artiste leur donne. Sa chair, sa sueur, ses battements de coeur, la violence de son effort, son émotion.

Je le regardais en silence. Puis je pensai au réfrigérateur où un homard attendait dans un nid de verdure fraîche. Et tout à coup, j'eus faim d'avance pour ce moment où, l'orage passé, l'angoisse envolée, ce serait exquis de revenir serrés l'un contre l'autre, ivres de succès (car ce devait être un succès !) Jane aurait dressé une petite table devant le foyer et nous mangerions, les yeux dans les yeux. Et Janos sourirait, heureux et comblé. Et puis...

Pour le moment, nous étions bien loin de cette idyllique vision. La dernière bouchée avalée, il lança un coup d'œil à son poignet, repoussa bruyamment sa chaise et se mit à aller de long en large dans le salon. Il me donnait le vertige. Je me levai et restai plantée, hésitante, inquiète.

Il s'arrêta, jeta un nouveau coup d'œil à sa montre et gronda :

— Dans dix minutes exactement, il faudra partir.

Je sursautai.

— Mon Dieu, il faut que je passe ma robe !

— Comment ! Tu n'es pas prête ?

— Si, mais j'avais peur de faire des taches. Je n'ai plus qu'à l'enfiler. Tu ne vois pas que je suis en déshabillé ?

Il éclata d'un grand rire joyeux, vint à moi, me serra dans ses bras. Puis il me poussa vers la porte.

— Petite fille, va ! Allons, cours, vole, je t'attends. Sinon, je pars sans toi.

Il ne me fallut que deux ou trois minutes pour reparaître. Dans ce temps si court, il semblait de nouveau m'avoir oubliée. Je m'arrêtai un instant sur le seuil à le contempler. Il avait écarté le rideau et regardait dans la nuit. Quoi ? L'arbre de la cour qui se dessinait à peine dans l'ombre ?

Il était très beau, presque anachronique dans son habit de gala, la poitrine gonflant sa chemise éblouissante. Il donnait une impression de puissance qui me troublait jusqu'au fond de l'âme. Je me demande pourquoi la cruauté de la vie ne nous permet pas de deviner l'avenir. Pouvais-je prévoir, à ce moment, que Janos qui était là devant moi, sa belle main de pianiste retenant le rideau, me serait un jour arraché ? Aurais-je alors gaspillé tant d'heures à me tourmenter pour des détails ?

Il était de nouveau loin de moi. Et je me tenais au milieu de la pièce, anxieuse de voir ses yeux s'éclairer quand il remarquerait ma nouvelle robe.

C'était une folie, mais Janos m'avait donné carte blanche pour son premier concert depuis notre mariage. Le tissu était chamarré dans des tons fauves et rouges. La robe me collait au corps, puis, souple, prenait de l'ampleur. Je crois vraiment que j'étais non seulement jolie mais belle.

Hélas ! ce diable d'homme ne voyait rien ! Il se tourna vers moi, les yeux vagues, ou plutôt ternes d'anxiété.

— Il est temps maintenant, tu es prête ?

J'aurais bien pleuré, mais mon orgueil me défendait de le lui montrer. Il s'illumina soudain.

— Mais tu ne me dis rien ! Tu as ta nouvelle robe !... Ah ! que tu es exquise, mon amour ! C'est une merveille ! Regardez-moi la minceur de cette taille !

J'étais au septième ciel. Je ne devais jamais douter de son amour à cause de son humeur changeante. Mais déjà, changeant de figure, il me demandait avec anxiété :

— Tu crois que je jouerai bien ?

Il lut ma réponse dans mes yeux rayonnants. Satisfait, il m'entraîna, enfila son manteau et quelques instants plus tard, nous étions dans la voiture qu'il louait pour ses déplacements en ville.

Nous restâmes silencieux, pendant tout le trajet, mais il m'étreignait l'épaule. Ça me suffisait. Je le regardais à la dérobée, éclairé sporadiquement. Comme je suis certaine que nous ne faisions plus qu'un à ce moment ! Pendant les trop courts mois que nous avons passés ensemble, Janos m'a ainsi menée des sommets de bonheur jusque dans les bas-fonds de l'incertitude et du désarroi. Et cependant, sa passion était toujours là, exigeante, je le sais. Et elle l'a été jusqu'à la mort. Parfois, je crois que je ne pourrai plus continuer à écrire quand j'évoque cet amour. Et pourtant, il me semble qu'il le faut. Tony a raison...

Arrivés à la salle, j'eus ma première bouffée de

naïf orgueil d'être l'épouse d'un homme célèbre. Le concierge était presque révérencieux en nous saluant et en nous ouvrant les portes. « M. Rushka » par-ci, « Monsieur Ruhska » par-là... Janos passa avec un de ses éblouissants sourires.

— Vous avez mis les bouteilles de Saint-Galmier dans la loge ?

— Oui, monsieur Ruhska, bien sûr. J'en ai mis quatre.

— Merci.

Et il ajouta pour moi :

— J'ai le gosier séché, Catherine, desséché plutôt. Je bois toujours beaucoup quand je joue en public. Il faudra que tu t'habitues à toutes mes manies d'artiste.

Je le suivis. Ma main dans la sienne, chaude, souple qui faisait l'admiration des multitudes admiratives. Elle était à moi, pour toujours. Il entra comme une bombe dans sa loge et s'arrêta court. Le strict nécessaire, trois fauteuils, une porte donnant sur une salle d'eau. Sur la table de toilette, les bouteilles dans un seau de glace.

Il y alla droit et se versa un grand verre qu'il but goulûment, puis se tourna vers moi. Il était si blême que je courus en avant.

— Janos ! Ça va, mon chéri ?

Il resta debout, me regardant de ce même air effaré. Puis, brusquement, m'attira, me serra à me couper le souffle, les lèvres dans mon cou.

— Il faut que ça aille. C'est... C'est toujours comme ça !

Puis, me repoussant brutalement :

— Va-t'en, pour l'amour du Ciel, va-t'en ! Ne reste pas là à me regarder avec tes yeux ronds et stupides !

Je me suis promis de raconter tout.

A ce moment, Janos me fit horriblement mal. Confusément, il me semblait que moi seule qu'il semblait tant aimer pouvais lui être utile dans son désarroi.

Il me faisait signe d'une main péremptoire. Vit-il mes yeux ? Il changea tout à coup de figure, eut un pauvre sourire.

— Tu dois comprendre, ma petite Catherine... Je n'y peux rien, si je suis dans un état pareil. J'aime mieux que tu ne sois pas témoin de mes faiblesses. Ça m'énerve ! Ne pleure pas surtout !... Ça m'agace ! Je suis content de te savoir dans la salle, mais, pour l'amour du Ciel, vas-y, laisse-moi !

Ah ! Janos, je commençais à te connaître !

J'obéis donc et sortis en me répétant : « C'est normal, c'est normal ! Il a le trac. » Mon moral remonta en passant dans les coulisses où s'affairaient quelques officiels qui me saluaient avec respect.

Mme Ruhska !

Je me redressai avec un nouveau courage en lançant un coup d'œil à travers une porte ouverte, sur la scène où le piano luisait, immense. Et déjà me parvenait le bruissement des instruments qui s'accordaient en une curieuse mélopée que j'ai toujours aimée.

Mon cœur se remit à battre quand je me retrouvai devant une des entrées de la salle. Là, tout changeait. Lumières, foule parfumée et jacassante entrant sans désemparer, ouvreuses affairées, brouhaha général. Une jeune personne à lunettes, en uniforme correct, m'intercepta :

— Votre place, madame ?

Quelle nouvelle satisfaction de pouvoir répondre :

— Je suis Mme Ruhska.

Ma voix tremblotait cependant malgré ma fausse assurance.

Petite volupté de voir sa figure changer, son sourire se faire empressé.

Elle m'installa dans ma loge. Et je fus consciente d'être très jolie, à voir quelques regards se lever vers moi. Toute rougissante, je m'appuyai sur le rebord de velours en essayant de prendre un air dégagé.

De nouveau, le trac, le terrible trac s'emparait de moi. Je regardais les musiciens avec angoisse. Il me faudrait écouter la première œuvre, attendre, en pensant qu'il était là, crispé dans sa loge, buvant peut-être verre sur verre. Je fermai les yeux un moment. Puis les rouvris. Il fallait à tout prix penser à autre chose qu'à ce trac qui me dévorait.

De la salle maintenant comble montait une curieuse chaleur. Il me semblait tout à coup faire corps avec cette foule. Pourtant, entre eux et moi, s'établissait un étrange courant qui m'exaltait et me faisait trembler à la fois. Ils allaient juger mon Janos et cela m'était presque intolérable. Je le ressentis avec une telle violence que je faillis me lever et partir.

Le chef d'orchestre entra, très applaudi. J'essayai de m'intéresser à lui, mais ridiculement je remarquai surtout qu'il avait le cou trop long, trop maigre, avec une pomme d'Adam qui montait et descendait nerveusement. Avait-il le trac, lui aussi ? Et j'eus pitié de lui, de Janos et de moi-même.

Il salua. Derrière lui, le piano béait vers la salle, presque comme une menace.

Il leva la baguette.

Je ne me souviens plus bien de ce qui se passa ensuite. Je sais que je n'avais qu'un désir : cesser d'être entourée, cernée, étranglée par ces volutes sonores et qu' « il » paraisse. Je serais bien incapable de dire ce qu'on jouait. Le musique s'emparait de moi, me bouleversant jusqu'au fond de l'âme.

Dernier accord. Applaudissements enthousiastes. La grande respiration du public monta vers moi. Mon angoisse grandit.

Et puis, tout à coup, la tension céda. Janos venait d'entrer. Et je ne fus plus qu'admiration. Quelle impression de puissance il donnait, avec ses larges épaules carrées dans l'habit, sa tête penchée vers l'avant comme pour foncer ! Il saluait avec une gravité un peu dédaigneuse. Et j'étais certaine qu'à ce moment, de façon miraculeuse, le trac l'avait quitté. Il se tourna imperceptiblement et, un fugitif instant, nos regards se rencontrèrent. Je suis sûre que je souriais. L'ombre d'une réponse courut sur ses lèvres tandis qu'il allait droit vers le piano, s'installait.

Je peux bien l'avouer, j'étais gonflée d'orgueil. Un grand silence était tombé. Mon mari tourna légèrement la tête vers le chef et attendit.

Les cuivres préludèrent. Mes yeux se fermèrent. J'avais peur, atrocement peur.

Le son du piano, intensément nostalgique, me frappa immédiatement au cœur. Et toute la salle avec moi. Mais pour nous apaiser, nous rassurer. Comment avais-je pu douter un instant de lui ! Vague par vague, les lignes mélodiques se dessinaient. Janos avait, parmi ses qualités d'interprète, l'art d'arracher la note avec une tendresse, ou une puissance qui ne se trompait jamais, un sens du phrasé parfait. Il ne trahissait jamais le compositeur, tout en restant extraordinairement lui-même.

Je connaissais le concerto par cœur.

Janos avait dompté son œuvre et nous la prodiguerait sans une hésitation, non seulement grâce à sa technique, mais parce qu'il se donnait tout entier. Ah ! quel artiste il était !

Janos et Brahms nous emportaient tous dans une espèce de rêve indéfinissable où les larmes étaient proches d'une douceur étrange, comme si nous touchions à la vérité. Oui, c'est ça. A la vérité !... Je pense aussi qu'il éveillait en nous une compréhension plus généreuse. Des images flottaient, vagues, mélancoliques ou charmantes. Je revoyais mon père que j'avais tant aimé et perdu trop tôt. Ses yeux quand il recommandait l'une à l'autre, la fillette que j'étais et sa jeune femme, Natacha. La force de ma tendresse, de ma gratitude pour ma merveilleuse belle-mère remontait à la surface. Son talent qui égalait celui de Janos, sa bonté surtout... Puis c'étaient des impressions fugitives de mon naïf amour à ses débuts. Natacha découvrant Janos, le tirant de sa médiocrité, le polissant, le perfectionnant, le propulsant dans le monde de l'art... Le premier prix du concours Reine Elisabeth. Et moi, pendant ce temps, emportée par lui, je parcourais le dur chemin d'un amour que je croyais interdit parce que Natacha l'aimait. Natacha qui avait dix ans de plus que lui !... Et Janos et moi, si jeunes, désemparés, ligotés par nos consciences. Nous lui devions tant ! Puis, c'était Tony qui apparaissait, flottait un instant dans mon souvenir comme une nuée effilochée.

Tout était simple. Le vaillant sacrifice de Tony souriant, généreux, ne s'attendrissant pas sur lui-même. C'était lui qui avait ouvert les yeux à ma belle-mère, et qui l'avait entraînée à partager son propre sacrifice. Car enfin, il était sur le point de m'épouser !... Maintenant, il y a, quoi que je fasse, de l'amertume dans mon sentiment vis-à-vis de Tony. C'est mal peut-être, mais je ne puis le dominer, c'est plus fort que moi. Sans doute ne puis-je lui pardonner d'être en vie, lui, tandis que Janos... Ah ! comme je voudrais retrouver l'innocence de mon cœur ce soir-là, pendant que le concerto de Brahms roulait, pleurait, dévorait toute la salle !

Je ne me souviens plus très bien de ce qui s'ensuivit. Je sais que j'avais sauté sur mes pieds. J'applaudissais mon mari. Mes mains me faisaient mal à la fin de l'interminable ovation qui suivit et des multiples bis que Janos donnait, l'air heureux de son succès. De temps à autre, il tournait la tête vers moi et souriait davantage. Mon Dieu, que j'étais donc fière ! Toutes les images du passé avaient disparu. Il n'y avait plus que lui.

CHAPITRE V

Quand enfin, la salle le libéra, je sortis en trombe de la loge. Je me mis à courir follement dans les couloirs, me heurtant à la porte des coulisses à une nuée d'admirateurs, et — hélas ! — d'admiratrices qui se pressaient dans l'espoir d'apercevoir le monstre sacré.

Etre sincère, dit Tony... Alors, il faut bien que j'avoue que j'étais exaspérée. Dans mon esprit, Janos n'appartenait qu'à moi seule après son triomphe. Mais il était acculé dans un coin de la salle d'accords, faisant face en souriant à cette meute aux yeux fiévreux encore émue qui redevenait des hommes et, surtout, des femmes. L'une d'elles, remarquable par son allure, son élégance tapageuse, le serrait de près. Je ne pensais qu'à arriver à Janos. Je ne suis pas très grande, mais fluette et fragile. Impossible de me frayer un passage. Il m'aperçut tout à coup. Je vis ses yeux s'éclairer d'une tout autre lumière. Il s'écria de cette voix un peu sourde que j'aimais tant :

— Oh ! excusez-moi, voilà ma femme qui cherche à arriver jusqu'à moi !

Le mur humain s'écarta docilement et je dus subir le feu de dizaines de regards. J'eus beau me répéter : « Tu es jolie, ta robe est bien, de quoi as-tu peur ? » J'avais été si longtemps dans l'ombre protectrice de Natacha, et si effacée, que je n'avais aucun goût pour ces manifestations mondaines. La timidité m'étouffait en même temps qu'une instinctive colère contre ces gens qui se permettaient de me regarder avec une telle curiosité. Il me semblait qu'ils disaient : « Voilà la femme de ce grand artiste, de ce génial artiste ! Qu'elle a donc l'air d'une petite fille ! »

Je gardais pourtant bonne contenance. Janos tendit la main, m'attira comme je me faufilais avec un « pardon » prononcé tout bas. J'étais furieuse d'être si émue, si timorée. Il passa la main sous mon bras et me serra contre lui. Il me poussa légèrement en avant et dit :

— Voici ma femme, madame.

Il y avait de l'orgueil dans sa voix. La créature qui me souriait — hypocritement, je l'eusse bien juré ! — scintillante de bijoux, était belle, de cette beauté qui n'a plus rien à voir avec la jeunesse, mais bien avec l'architecture de beaux traits, et le maquillage. Je la détestai cordialement.

— La comtesse Polienska, ma chérie.

Je la détestai d'autant plus qu'elle roucoula immédiatement avec un accent à la Popesco :

— Quelle joie de vous rencontrer, madame ! J'espère que vous nous ferez le plaisir de nous rejoindre quand notre grand artiste en aura fini avec tous ses admirateurs.

Je ne pus me tenir de tirer Janos par la manche. Il

se pencha vers moi. Je balbutiai comme une petite fille prise en faute :

— Mais tu es si fatigué, et tu dois te changer ! Tu es trempé, je le sens. Tu vas prendre froid.

— Bien sûr, mais après...

— Oh ! Janos, le homard nous attend à la maison !

Pendant ce temps, la belle comtesse lançait d'autres invitations parmi le groupe qui nous enserrait. Un petit homme effacé à ses côtés était sans doute le mari qui payait les notes. Janos put donc me glisser, d'un ton sans réplique :

— Je regrette, chérie, mais nous ne pouvons faire autrement.

— Pourquoi, mais pourquoi ?

Je gémissais presque. Il me jeta un regard furibond, puis, tout aussitôt, sourit à la comtesse qui se retournait.

— Nous serons ravis, madame, ravis. Je vais me changer et nous serons à vous très vite.

— C'est ça ! Retrouvez-nous au bar. Nous serons toute une troupe de vos admirateurs.

J'étais suffoquée, indignée, mais déjà, Janos m'entraînait de sa main qui pouvait être si impérieuse.

Quand nous fûmes dans sa loge, j'éclatai :

— Enfin, mon chéri, tu es vidé, épuisé... Nous serions si bien rien que nous deux, devant le feu que j'ai fait préparer...

Il était déjà dans la salle d'eau et, par la porte ouverte, je vis passer son habit devant moi comme un météore. Je l'attrapai machinalement au vol, complètement désemparée.

— Janos, mon chéri !... Non, non, rentrons, je t'en prie !

Pour toute réponse, je reçus le pantalon. La chemise, trempée de sueur, suivit. Il hurlait à travers le jaillissement de l'eau :

— Fiche-moi la paix !... Tu ne comprends donc pas...

Le jet de la douche lui coupa la parole un instant. J'étais là, moi, à la porte, ses vêtements sur le bras, contemplant son corps ruisselant, tandis qu'il renversait la tête pour épargner ses cheveux. J'étais transformée en fontaine.

Il hurla à travers la douche :

— Passe-moi le drap de bain !...

Je courus déposer les vêtements et me précipitai pour lui tendre le tissu-éponge moelleux.

Il rentra dans la loge en se frottant vigoureusement, mais son regard était toujours aussi féroce tandis qu'il me lançait :

— Il y a des moments où je me demande si tu es vraiment intelligente ! Enfin, Catherine !... Je dois gagner notre beefsteak, que diable !... Tu entends ?...

Janos enfilait prestement ses vêtements.

— Ma chemise...

Je la lui tendis.

Il enfila le pantalon tout en parlant, sans me regarder :

— Tu ne me comprends pas ! Je ne veux plus rien devoir à Natacha, entends-tu ?... Elle n'en a fait que trop pour nous. Je dois donc veiller sur mes intérêts, sur ma carrière. De plus, je n'ai plus Tony comme imprésario. Je ne sais ce que vaudra Pietrango. Je dois songer à ma publicité... Donne-moi ma cravate... Cette comtesse Polienska est sèche comme une trique, elle a la bouche trop grande, trop molle et la poitrine tombante, mais elle connaît le Tout-Paris. N'oublie pas que je donne un second concert dans quinze jours. Elle...

Je trouvai le courage de l'interrompre :

— Mais tu es déjà célèbre dans le monde entier, Janos, tu es une gloire du piano...

Il se battait avec son nœud, une grimace horrible lui déformant la bouche. Il haussa les épaules.

— De nos jours, avec les disques, la publicité, aucun artiste n'est à l'abri d'une éclipse foudroyante. Mets ça dans ta petite cervelle d'oiseau. Nous suivrons sagement la Polienska et tu seras tout sourire, tu m'entends ? Mais, ma parole, tu pleures ? Tu es tout à fait idiote, Catherine... Là, assieds-toi et répare les dégâts.

J'obéis et, ravalant mes sanglots, je me mis en devoir de remettre du rimmel. J'étais au désespoir. Jamais encore il ne m'avait parlé sur ce ton ! Et je luttais en clignotant des yeux pour garder mon calme. Dans le miroir, je le voyais aller et venir, l'air orageux. Puis, tout à coup, à son tour, il surprit mon visage.

Ah ! que j'avais tort de douter de son amour ! Voici qu'il était derrière moi, les mains sur mes épaules nues. Il me regardait avec tant de bonté que je me remis à pleurer. Il se pencha brusquement, baisa dans mon large décolleté la naissance de mes seins.

— Au moins, ceux-là, ils sont ravissants ! Petite

sotte chérie, dit-il en se relevant et en me souriant dans le miroir, comment peux-tu être aussi sensible, aussi émotive ? Tu ne sais donc pas que c'est pour toi que ton Janos veut être fort, puissant, célèbre ? Est-il possible que tu sois si impressionnée par mes cris ? Tu dois apprendre à me connaître... Ne pleure plus. Nous le mangerons demain, ton homard ! Ce soir, je te demande ce sacrifice nécessaire. Je te le dis, cette femme est précieuse pour moi. Il faut remplir la salle dans quinze jours. Elle traînera toute une cohorte derrière elle. Elle connaît tout le monde. Elle compte parmi ses amis un des plus grands organisateurs de concerts aux Etats-Unis. La tournée que j'y ai faite en musique de chambre ne suffit pas. Il me faut les grands concerts, la consécration à l'échelle mondiale Ces gens ont beaucoup d'argent et paient royalement. Je suis bien obligé d'y penser maintenant que j'ai charge d'âme. Tu comprends ?

Rassérénée, je me retournai et lui tendis mes lèvres en souriant bravement.

Et ainsi se termina la soirée triomphale de notre premier concert. Triomphale, mais il est juste d'ajouter que la pauvre Catherine tombait de sommeil après le troisième bar à la mode où l'infatigable comtesse nous emmena avec toute une troupe d'excités et surtout, d'excitées qui ne lâchaient pas mon mari. Je dansai beaucoup au début, très fière après tout, parce qu'on m'inondait de compliments. Mais on me serrait de trop près et j'en eus vite assez de sentir contre moi ces mains trop éloquentes, ces joues qui pressaient la mienne. Janos dansait très mal et semblait trouver tout naturel qu'on m'invitât si souvent. Je lui lançais des regards suppliants qu'il négligeait. J'étais stupéfaite de son incroyable résistance.

Nous rentrâmes vers quatre heures du matin. Au passage, je lançai un coup d'œil de regret sur notre petite table devant le feu éteint. Comme j'aurais préféré cette intimité après le fracas des applaudissements !

Janos était encore surexcité. Il ne s'aperçut pas qu'il tenait dans ses bras une petite épouse presque inerte de fatigue et qui n'était même plus capable de répondre à ses baisers brûlants.

C'est une vie exaltante, aux émotions toujours renouvelées, que mène la femme d'un grand artiste.

Une vie de douches écossaises constantes, mais en somme, avec le recul, je me rends compte que j'étais très heureuse. Si je manquais de sommeil (Seigneur, ce que je pouvais avoir parfois envie de rentrer me pelotonner dans mon lit !), que de joies Janos me donnait. Et comme je me suis compliqué la vie !

Jalousement préoccupée de lui, je trouvais qu'il était moins amoureux que jadis. Moins amoureux est une mauvaise façon de m'exprimer. Je voyais bien qu'il avait un goût profond de moi, de ma jeunesse, de ma fraîcheur, de mes timides réponses à sa passion, mais nous menions une vie tellement forcenée que, bien souvent, Janos s'évadait dans le sommeil parce que j'avais soif de sa tendresse. Le matin, je devais longuement le secouer.

Mais alors !... ayant à peine repris conscience, il bouleversait toute la chambre, me grondait puis m'embrassait, avalait son petit déjeuner et disparaissait, à mon grand chagrin, sous l'œil scandalisé de Jane. Elle ne s'habituait pas à son ardeur sombre.

Je n'étais pas raisonnable. Puis, tout changea. Quelques signes me firent croire que je pouvais être enceinte. Et, du jour au lendemain, moi qui n'y avais pas encore pensé, me voilà bouleversée à l'idée de porter en moi un enfant de Janos.

Malheureusement, j'étais très seule. La vie que Natacha avait menée, et m'avait fait mener, pendant des années, m'avait empêchée de me faire de véritables amies. Ma belle-mère était au loin et, après ce qui s'était passé, inaccessible pendant un temps tout au moins. Je me trouvais bien embarrassée. Ce n'était pas Jane qui pouvait me conseiller.

Je ne voulais pas en parler à mon mari qui ne soupçonnait rien, avant d'être certaine.

Je pris donc mon courage à deux mains et allai dans une clinique à la consultation d'un gynécologue connu.

J'en sortis la tête embuée, le cœur battant de joie. Il me semblait toucher au paroxysme du bonheur. Janos et son enfant !

Et maintenant, quand je tiens ce pauvre petit Antoine dans mes bras, je ne suis qu'indifférence.

Je pris un taxi pour revenir plus vite, priant que mon mari fût rentré.

Je fus fixée dès la porte franchie. Pas besoin de demander à Jane si « M. Ruhska » était là ! Des tonnerres de vagues mélodiques émanaient du salon, faisant vibrer jusqu'aux murs du hall.

Jane me dit :

— M. Ruhska est rentré depuis une demi-heure. Il

se demandait où vous étiez, miss Cathy. Je ne savais
rien, alors il a demandé son thé et puis m'a mise à la
porte.

Elle eut un demi-sourire vinaigré.

— Mais qu'avez-vous, miss Cathy? Vous êtes
toute pâle, ajouta-t-elle.

Je lui souris avec un geste évasif.

— Oh! rien, je suis un peu fatiguée. Fais-nous
quelque chose de bon pour le souper, Jane, c'est un
grand jour !

Elle n'était pas sotte et me regarda en disparais-
sant, tandis que je m'appuyais un moment à la porte,
la joue contre le panneau. J'écoutais battre mon
cœur presque sur le rythme endiablé de la musique
de mon mari.

Pour une fois, j'allais désobéir et le déranger. Mais
je n'avais plus peur de lui ! Je me sentais tout à coup
très forte.

J'ouvris, me glissai jusqu'au grand canapé d'où je
voyais la tête de mon pianiste. Malgré mon émotion,
mon agitation, je fus surprise. Je ne connaissais pas
ce qu'il jouait. C'était moderne, mais d'une ligne
mélodique soutenue. Une musique facile à comprendre, qui me parut émouvante, enthousiaste, allant
droit au cœur.

Je restai un instant à écouter sans oser l'interrompre. Il ne m'avait pas encore vue, la tête baissée sur
son clavier, une mèche sur l'œil. Il n'était jamais si
beau, si pur qu'à ces moments-là. Et hélas ! j'en
éprouvais toujours une mauvaise jalousie, car il ne
me regardait jamais quand il jouait. Il ne regardait
qu'en lui-même.

Enfin, le rythme changea, ralentit, s'éteignit... Il resta penché un long moment. Puis il m'aperçut.

— Qu'est-ce que tu fais là, toi?...

Puis, se levant brusquement et venant vers moi, me fixant attentivement :

— Pour que ma chérie désobéisse, il doit être arrivé quelque chose... Qu'est-ce que tu as? Tu es toute pâlotte!

Je lui tendis les mains pour qu'il me relève, ce qu'il fit, le sourcil froncé.

— Où étais-tu? Jane n'a pas pu me le dire!

Je me mis à rire.

— Chez un homme, mon chéri!

— Chez un homme? Tu te moques de moi?

Je me jetai dans ses bras. Il me repoussa, me prit la tête entre les mains. Il avait un air furieux et effrayé qui m'enchanta malgré mon émoi. Il insista :

— Ça suffit! Dis-moi...

Il essuya d'un doigt une larme qui coulait toute gonflée, sur ma joue. Je souris cependant.

— Ce que tu peux être bête, Janos! Tu ne devines pas?

Il lui fallut du temps pour comprendre. Puis :

— Quoi? Tu... tu?...

— Oui. Je viens de chez le médecin, mon chéri. Il n'y a aucun doute!

— Mais pourquoi ne m'avais-tu rien dit?

Il était stupéfait, ne réalisant pas encore très bien. Puis, changeant de figure, il me prit par la taille, me serra à m'étouffer. Et me lâcha aussi vite, en me regardant avec épouvante.

— Je ne t'ai pas fait mal?... Oh! chérie, ce n'est

pas possible ! Je dois dire que je n'ai jamais pensé...
Nous n'en avions pas parlé et...

C'était vrai. Nous n'avions jamais effleuré ce sujet.

Je me rejetai vers lui.

— Mais non, tu ne m'as pas fait mal ! Je ne suis pas
si fragile que ça !

— Mon Dieu, mon Dieu, disait-il contre mon
oreille. Je ne peux y croire ! Ma petite Catherine, une
maman ? Et moi, Janos Ruhska, j'ai été capable de
ça ! Un petit enfant à ma Catherine ! Un fils, certainement !

— Oh ! Janos, est-ce que tu y crois ? Moi-même,
je n'y arrive pas !

Il me fit asseoir avec grandes précautions et
retourna au piano. Un instant plus tard, ce que
j'avais entendu en entrant résonnait de nouveau,
passionné, violent, avec des intervalles de tendresse,
de rêve, de légèreté. J'écoutais, fascinée. Il s'arrêta,
frappa un accord discordant et revint s'asseoir à côté
de moi.

— Comment trouves-tu ça ?

Je battis des mains.

— Oh ! Janos, c'est de toi ? J'en suis sûre.

Il hocha la tête.

— Oui, c'est de moi. C'est étrange, n'est-ce pas ?
J'ai composé cela cet après-midi comme si j'avais
senti... Tu sais que c'est en somme mon rêve d'être
non seulement un grand pianiste, mais un compositeur.

Je me serrai contre lui, les lèvres sur son cou.

— Eh bien, tu as réussi. C'est très, très beau.

Il sembla satisfait.

— C'est pour mon fils, vois-tu, que j'ai trouvé cette ligne mélodique et puis ce rythme endiablé. Pour mon fils ! Ah ! il dansera dessus, le gaillard.

Je murmurai :

— Ne t'emballe pas. Et si c'est une fille ?

— Bah, dit-il avec superbe et condescendance, je lui ferai une petite sonatine !

Nous nous mîmes à rire. Nous étions follement heureux.

Mais Janos changeait d'humeur d'une seconde à l'autre, il se leva et se mit à marcher de long en large, très agité.

— Tu vois que je dois soigner ma publicité ! Un enfant. Peut-être trois !...

Il revint aussitôt m'embrasser, repartit de long en large. Puis, tout à coup, il changea de figure.

— Qu'est-ce qu'il t'a dit, cet Esculape ? Pour quand ?

— Eh bien, ça date sans doute... Oh ! Janos !... de très vite après notre mariage.

— Alors, attends... Ça fait de juillet à août, un... de août à septembre... de septembre à...

Il s'emberlificotait dans ses calculs. Nous finîmes par arriver au milieu de mai. Il s'arrêta devant moi, consterné.

— En mai, Dieu sait si je n'aurai pas mon contrat pour les grands concerts aux Etats-Unis !

Mon état m'excusant, je fondis immédiatement en larmes.

— Oh ! non, non, Janos !...

Il revint tomber auprès de moi, m'enveloppa de son bras.

— Ne pleure pas, trésor, c'est peut-être mauvais pour le petit! Rien n'est sûr encore. Et puis, en admettant que je sois obligé de partir, je reviendrai, mon amour, je reviendrai à temps.

Puis sautant sur ses pieds, il retourna au piano et, une heure durant, m'enchanta. J'étais heureuse. Il jouait pour moi seule. Cet enfant réalisait ce que je souhaitais le plus. Avoir mon mari tout à moi, uniquement à moi. Il levait sans cesse les yeux par-dessus son piano pour me regarder avec une stupeur ravie qui me faisait sourire.

La douceur de ces moments me déchire le cœur. Ce qu'il y a de terrible dans la vie, c'est qu'on ne peut jamais, jamais retourner en arrière, retrouver le bonheur ou réparer une erreur. On ne peut que rêver, imaginer. C'est tout. Notre destin déjà était écrit.

Des mois très doux suivirent. Si Tony s'est imaginé que retourner dans le passé fortifierait l'amitié que je lui dois au détriment de mon amour pour Janos, il se trompe. Ce n'est pas l'objectivité que j'y mets qui y changera quelque chose.

Bien sûr, Janos était éprouvant par son caractère excessif. Mais maintenant, mieux que jamais, je le comprends. On ne peut demander à un artiste d'avoir de la mesure. Depuis qu'il savait que j'allais avoir ce petit enfant, combien il se montrait attentionné et tendre!

A mon intense — et secret — déplaisir, il était arrivé à mettre au point son projet d'aller aux Etats-Unis faire une tournée de grands concerts. Il ne cessait de me rassurer. Il scinderait ses tournées de manière à être certain de se trouver à Paris au moment de l'accouchement. Je n'osais pas lui dire, de crainte d'éveiller sa colère, que j'avais bien des inquiétudes quant à la date exacte d'une naissance. Et si ce bébé venait plus tôt ? Il n'admettait rien de semblable. Le destin ne jouerait pas un tour pareil à un Janos Ruhska !

Je ne demandais d'ailleurs qu'à le croire et, en attendant, je jouissais de sa douceur. Il faisait des efforts pour rentrer plus tôt, et ne m'expulsait plus du salon pendant qu'il travaillait. Ah ! quelles heures inoubliables j'ai passées, pelotonnée sur le divan à l'écouter tout en tricotant.

Déjà, la nursery prenait tournure. Je ne me lassais pas, quand mon mari était parti, d'y aller sur la pointe des pieds, respirer la fine odeur d'impeccable propreté que Jane y faisait régner — nous avions engagé une femme de chambre qui souffrait le martyre sous la férule de la vieille fille ! — et on passait beaucoup de temps à astiquer d'avance la chambre du petit prince que serait notre fils !

Des objets ravissants arrivaient constamment. Mon mari rentra un jour, portant un ours aussi grand qu'un terre-neuve, doux, et d'un jaune chaleureux. Il le déposa sur mes genoux avec un rire satisfait.

— Qu'est-ce que tu en dis ?

— Ravissant...

— Oh ! ma chérie, je vais composer un rondo pour notre fils.

Et il s'installa au piano. Et c'était charmant, vivant, coloré, comme tout ce qu'il faisait. Beaucoup plus gai aussi. Je crois vraiment que Janos a été très heureux pendant ces mois-là, autant que moi. Seule la perspective de son départ m'assombrissait.

J'étais très mal portante. Je ne pouvais admettre ce que mon médecin m'expliquait sur la difficulté de certains organismes à accepter un corps étranger. L'enfant de Janos et le mien, un corps étranger ? Jusqu'à me donner la nausée ! Et cette éternelle fatigue ? Mon moral variait. Parfois, une sensation de solitude me tombait sur les épaules. Alors, je voyais tout en noir. Janos n'était jamais là. Il travaillait trop longtemps. Je manquais terriblement de la présence amie d'une femme. La vieille Jane se manifestait surtout par un contrôle féroce de mon régime.

Le troisième mois, j'écrivis à Natacha et à Tony. Janos avait admis en grommelant que notre fils s'appelât Antoine, la version française d'Antony. Je trouvais que je devais bien cela à mon ex-fiancé parce qu'il m'avait écrit, peu après son départ, qu'il espérait être un jour le parrain de notre premier né.

La lettre à Natacha fut pénible à écrire. Je la sentais plus vulnérable que Tony. Lui, c'était un homme. Quand il m'avait quittée en me souhaitant tout le bonheur possible, je me souvenais de ma stupide petite phrase : « Je vais donc te perdre à tout jamais ? » Et sa réponse : « Tu ne vas pas me demander de continuer à te dépanner ? » Tu ne peux tout à la fois avoir et le vieux Tony et le fringant Janos. Il y a des limites ! » Mais il avait dit aussi, peu avant : « Garde ces fleurs, elles te rappelleront qu'il y a au monde un homme qui t'a beaucoup aimée et qui pourra peut-être encore t'être utile un jour. »

Bref, je n'avais guère peur de lui faire du mal.

Quant à Natacha, elle avait moins de défense, une nature beaucoup plus passionnée, plus généreuse peut-être. A elle qui avait éprouvé une aussi folle passion pour Janos, pouvais-je dire que maintenant commençait à s'animer en moi l'enfant de l'homme qu'elle avait aimé ?

Mais comment le lui laisser ignorer ? Et la lettre partit, pleine d'affection, de tendresse, mais probablement plus réticente que je ne le croyais. J'avais si peur de la peiner !

Elle me répondit longtemps après. Je lui avais écrit à Ottawa, alors qu'elle était à Vienne. Elle parcourait le monde, fêtée, admirée.

Sa voix merveilleuse, si bien timbrée, brûlant de sa personnalité extraordinaire ne me quittait pour ainsi dire pas. Et, plus que jamais, pendant ce début de ma grossesse. Et je ne savais si elle évoquait mon enfance ou le drame qui avait éclaté entre nous.

Sa lettre était très détendue, tellement que je repris courage. Allons, elle avait oublié ! Une femme d'une telle classe, d'une telle beauté, devait avoir retrouvé l'amour. Peut-être avec Tony lui-même. J'étais à peu près certaine qu'à un moment, elle avait été amoureuse de lui. Cependant, elle me disait qu'elle ne l'avait plus vu depuis deux mois. Ils devaient se retrouver bientôt à Londres. Elle parlait avec attendrissement du petit enfant à naître et me faisait mille recommandations.

CHAPITRE VI

Quelques jours plus tard me parvint un paquet expédié par un grand bijoutier de la rue de la Paix.

Il y avait deux écrins. Dans le premier, scintillait sur le velours bleu un merveilleux brillant au bout d'une chaîne délicate. Un mot de ma belle-mère : « Pour parer la petite maman quand le bébé sera là. Toute ma tendresse. « Natacha. »

J'avoue avoir suspecté la pureté de ses intentions. Voulait-elle éblouir Janos ? Se rappeler à son souvenir par sa générosité ? Surtout quand j'ouvris l'autre écrin. C'était un merveilleux gobelet en vermeil, à faire graver après la naissance. Elle ne voulait pas tarder à envoyer son cadeau, étant sur le point de faire une tournée en Amérique du Sud.

Quand je montrai ces cadeaux princiers à Janos, il leva un sourcil en faisant étinceler le gobelet à la lumière.

— C'est en quoi ça ?

— C'est du vermeil !

— Du vermeil !... C'est bien Natacha. Toujours excessive ! Quels cadeaux ! Comme si elle craignait que je ne puisse les faire moi-même à ma petite

femme ! Tu auras un bracelet — encore plus beau —
quand le petit sera né.

Je fus plus heureuse de sa réaction qu'à la pensée
du cadeau, mais ne pus m'empêcher de me rappeler
l'histoire de la paille et de la poutre. N'était-il pas un
modèle de l'excès en tout ? Mais je l'adorais et me
contentai de chercher son bras pour y frotter ma
joue.

Le temps passait. Je garde un souvenir pesant,
pénible de cette époque. Je vivais dans l'angoisse du
départ et roulais toutes sortes de visions pessimistes
dans ma pauvre tête, dont la plus folle était une
spectaculaire mort en couches pendant que mon
mari, inconscient du drame, jouerait devant un
auditoire transporté.

Le printemps était en marche. De mon lit, je
voyais l'arbre de la cour, tout enjolivé de ses
bourgeons gonflés qui s'entrouvraient jour après
jour, embuant peu à peu de vert l'harmonieux dessin
du tronc et des branches. Mon arbre !... Il avait
connu mon chagrin quand j'aimais Janos sans espoir.
Il allait voir mes premières joies de mère. Joie !... Je
me vois encore couchée sur le côté, lasse de soutenir
mon ventre.

J'aurais voulu retenir les jours, reculer indéfini-
ment le départ, et d'un autre côté, j'aspirais à ce qu'il
fût passé pour vivre enfin dans l'attente du retour.
Mais quoi qu'on fasse, la vie roule. Ce fut le 10 avril.
Je sens encore avec une acuité qui me met les larmes
aux yeux, les bras de mon mari autour de moi ; il me
berçait, me grondait, m'embrassait, me soufflant
dans l'oreille des mots de tendresse, des gronderies,

des promesses. « Ne te fais pas de souci, ma chérie, tu sais avec quelle vitesse incroyable on franchit l'Océan. Je rentrerai en quelques heures, en admettant que le petit enfant brûle les étapes... Allons, ne pleure plus, je t'en supplie... Je serai ici, sois-en certaine. »

Les mains autour de sa nuque, je ne pouvais le lâcher. Il finit par me gronder :

— Tu te conduis comme une enfant, tu m'ôtes tout mon courage. Crois-tu que je sois heureux de te quitter ?

Ce qu'il y a de terrible, c'est que je ne croyais pas à son chagrin.

Je jalousais — que de fois j'aurai employé ce mot ! — la surexcitation que je sentais en lui, d'aller vers la consécration de sa carrière internationale. Il enregistrerait avec les chefs d'orchestre les plus célèbres. Il donnerait les grands concerts auxquels il aspirait. Il oubliait mon chagrin en me décrivant tout ce qu'il espérait de ce voyage.

— Mais tu repartiras après la naissance du bébé !

— Dans quelques mois, tu pourras venir me rejoindre, voyager avec moi.

J'avais trop le sens de mes responsabilités vis-à-vis de notre enfant pour être d'accord.

— Je ne pourrai pas le quitter comme ça, tu le sais bien. Il aura plus besoin de moi que toi !

Et je souffrais de ces mots qui révélaient si bien mon état d'âme.

A son habitude, il se fâcha :

— Que tu es déraisonnable ! Nous aurons les moyens d'engager une nurse. Ça existe encore ! Ne

gâche pas nos dernières minutes. Je dois partir...
Non, non, je ne veux pas que tu m'accompagnes à
l'aéroport. La pensée de te voir revenir en larmes —
je te connais ! — m'est insupportable. Si tu m'aimes,
reste ici, bien tranquillement.

Bien tranquillement, mais toute seule, me dis-je
amèrement quand, enfin, il se fut arraché à mes bras.
Je reconnaissais humblement que je manquais totale-
ment de force.

Mais Jane qui, sous son écorce de froide correc-
tion, avait un vieux cœur fidèle et dévoué, me força à
venir au salon et me servit un thé reconstituant.

Et je garde le souvenir d'une Catherine déformée,
effondrée sur le divan, les larmes sur les joues, mais
un scone à la main, sous l'œil attendri de Jane,
debout comme il se doit, pendant que « miss Cathy »
retrouvait des forces.

Maintenant, j'ai peur de me souvenir des semaines
qui suivirent. N'ai-je pas tort de les revivre ? Je me le
demande. Tony a-t-il raison ? Est-ce parce que je sais
que maintenant il va entrer en jeu ? C'est possible. Je
n'arrive jamais à voir très clair dans mes sentiments à
son égard.

Je ne vivais plus que pour la lettre que Janos
m'avait promise. Elle vint, suivie d'autres. Je ne
pouvais me plaindre. Dans mon chagrin, c'est un
réconfort de penser combien il m'a aimée jusqu'à la
dernière minute. Pourquoi ne l'ai-je pas mieux
compris ? Comment ai-je pu, ne fût-ce qu'un instant,
me hérisser quand j'ai lu : « Figure-toi, chérie, que
Natacha est de passage à New York. Je ne pouvais
faire autrement que la saluer quand nous nous

sommes rencontrés par hasard dans un cocktail. Elle y était avec Tony. Toujours la même. Aussi extraordinairement jolie, tu la connais ! Jolie n'est pas le mot. Natacha est une créature hors du temps. Elle n'a pas d'âge ! Je lui ai parlé quelques minutes. Elle a été très bien. Très détendue en me racontant son voyage au Japon. Elle m'a demandé de tes nouvelles avec une véritable affection. Ça ne m'enchante pas de la revoir. Tu me comprends !... Mais ne parlons plus d'elle, je préfère bavarder avec ma petite femme... »

Je n'aurais jamais cru que je pouvais être aussi violente. J'étais là, dans mon lit — Jane venait de m'apporter mon petit déjeuner — la lettre sur mes genoux. Je serrais les poings si fort que les ongles m'entraient dans la peau. Comment se faisait-il qu'elle fût à New York ? Je la croyais en Amérique du Sud ou Dieu sait où !

La vérité était que j'avais peur, terriblement peur d'elle ! Maintenant, je sais quelle injustice j'ai commise. Je ne me la pardonnerai jamais. Surtout d'avoir douté de Janos, ne fût-ce qu'un instant ! Mon pauvre amour mort ne l'a jamais mérité.

Une lettre de Tony me remit, le lendemain, l'âme à l'endroit. Il me disait tout son plaisir d'avoir entendu Janos, plus extraordinaire que jamais. La consécration qu'il désirait tant n'avait pas tardé. Sa jeune gloire s'étendait aux Etats-Unis et on le demandait partout. Il ajoutait, de sa manière décontractée : « Natacha a trouvé moyen, sans le vouloir, d'être à New York en même temps que ton mari, ma petite Cathy. Là, ne va pas te mettre des idées idiotes

en tête. Je te connais ! Natacha est bien guérie, va !
Elle n'a pas tardé à s'envoler pour Washington ; sa
tournée à Brasilia a été reportée et elle chante là
pour l'instant. J'ajouterai que ton cher époux ne
pense qu'à rentrer à temps pour le grand événement
du siècle. Il est cependant ennuyé parce que son
imprésario — il me regrette, paraît-il — a des
difficultés pour obtenir une remise de ses prochains
concerts. Janos a été imprudent, il a signé des
contrats un peu à la légère. Mais tout s'arrangera... »

Je savais que mon mari reviendrait à temps. Il me
l'avait promis !

De jour en jour, je me sentais plus lourde, plus
essoufflée. La nuit, j'étais parfois comme une bête
épuisée, comme on les voit dans les prés, la tête sur
l'herbe, couchée sur le flanc, respirant avec peine.
J'étais écœurée par l'acidité qui me brûlait constamment la bouche. C'était une grossesse pénible et
j'aspirais à ma délivrance tout en craignant de voir
débuter les premières contractions avant le retour de
Janos. J'avais suivi consciencieusement la prépara-
tion à l'accouchement sans douleur. Cela m'avait
occupée et avait apaisé un peu ma dévorante impatience.

Le temps me durait, me durait ! J'étais trop seule.
Quelques admiratrices de mon mari étaient bien
venues une fois ou deux me rendre visite, mais je me
trouvais tellement affreuse que j'avais condamné ma
porte.

Fin avril, je reçus enfin la nouvelle que j'attendais : « J'ai retenu ma place pour le 2. Ne t'agite pas,
je serai là à temps ! Je suis fou de joie à l'idée de te

revoir, ma Catherine, complètement fou ! Et ne me parle plus de ta taille difforme. J'en suis bien fier. Mais je préfère, raisons de sécurité, que tu ne viennes pas me chercher. Je sauterai dans un taxi et serai près de toi au plus vite. Tu sais ce que sont les avions ! Ils ont souvent du retard. Tu t'agiterais inutilement. A bientôt, mon amour...

Ton Janos.

P.S. — J'ai des ennuis avec mon imprésario, ou plutôt, il s'est mal organisé. J'ai cru que je ne pourrais pas partir. Du moins, au jour prévu. Je fais mon mea culpa, je n'ai pas suffisamment vérifié le contrat. Mais ne te tourmente pas, je serai là ! »

Le nombre de fois que j'ai relu ces mots griffonnés en hâte ! J'étais folle de joie parce qu'enfin il me fixait une date précise. Et j'ai baisé cent fois ces quelques mots délicieux : « A bientôt, mon amour !... »

Je n'avais que Jane à qui communiquer ma joie. Elle ne la partageait certainement pas, et je lui en garde encore rancune. Je pense qu'elle préférait de beaucoup notre vie paisible à deux, qu'elle menait de main de maître, d'ailleurs. Comment a-t-elle pu conserver au fond du cœur ce naïf, mais féroce mépris pour Janos parce qu'il n'était pas un « gentleman » comme M. Tony ! Combien les choses essentielles lui ont échappé...

Je passe sur les jours d'attente. Ils sont aussi fastidieux à décrire qu'ils l'ont été à vivre. Jamais les heures n'ont pris une dimension pareille. Les nuits ne valaient guère mieux que les jours. Je restais la main sur le ventre pour me réconforter, à attendre les tressaillements, les coups de pied de mon bébé. Mais il dormait paisiblement, lui ! Je lui adressais des reproches cuisants, cherchant à travers la peau tendue un minuscule talon. Ou était-ce un coude ? J'étais bouleversée par la pensée de cet être lové dans son bain tiède, et peut-être déjà un petit pouce décidé en bouche ! Oui, à ce moment, j'ai aimé profondément mon enfant. Il me rapprochait de mon mari. J'essaie en vain de retrouver cette sensation.

Le 2 mai arriva.

Et aussi la désillusion la plus pénible à surmonter de toute mon existence !

Naturellement, pas question pour moi de rester à la maison à attendre mon mari. Le fidèle Albert vint me prendre avec la voiture de louage que j'employais fréquemment.

Ce qui suit, jusqu'à l'aéroport, n'est qu'une fuite éperdue d'images vagues, de sensations du vent sur mes joues congestionnées par l'émotion, de terribles impatiences à tous les arrêts. En fait, je ne me souviens que des feux verts ou rouges qui avaient pitié de ma dévorante impatience, ou me lançaient le cœur dans une course folle. J'étais convaincue que j'arriverais en retard.

Le brave chauffeur m'aida à descendre et me proposa gentiment de me conduire jusqu'à la terrasse.

— Vous avez tout le temps, madame, il reste encore vingt minutes. Il faudra vous asseoir là-haut.

Je voulais bien tout ce qu'on voulait, du moment qu'on me permettait de scruter le ciel.

Je trouvai à m'asseoir, mes jambes ne me portant plus. Albert me regardait avec inquiétude.

— Vous ne voulez pas que je reste près de vous, madame ?

Je secouai la tête. Non, je voulais être seule avec ma joie, mon impatience. Il me semblait vivre triplement en cet instant.

Et les mains croisées sur le ventre, je balayais l'horizon du regard.

Plusieurs avions parurent comme s'ils avaient surgi de nulle part, et ce n'était évidemment pas le sien. Je les vis atterrir, le cœur plus fou que jamais, puis rouler jusqu'à leur point d'attache qui n'était pas le bon.

Puis il me sembla avoir entendu l'annonce de l'avion de New York.

Ah ! mon Janos, là où tu es, comprends-tu ce que je ressentais ?

Je m'étais levée, les mains sur la balustrade. Je ne voyais que ce petit point argenté qui, sorti de la brume, scintillait par moments dans un ciel devenu très pur. Fascinée, je regardais les manches à air indicateurs. Où attirerait-il ? La peur maintenant me serrait à la gorge. Toute l'instinctive superstition d'une femme qui aime me jetait dans l'angoisse.

L'avion se posa sur une piste très écartée et s'immobilisa.

Ma main serra ma joie sur ma poitrine. Il était sain et sauf !

Et maintenant, j'allais le revoir, lui, mon mari.

Pauvre exaltée que j'étais !

Et voici qu'enfin, après une attente interminable, l'avion se mit à rouler, vira et vint enfin s'arrêter à quelque distance de la terrasse.

Que ça aille vite, que ça aille vite !

Mais ça n'allait pas vite. Les rites s'accomplissaient, immuables. Enfin, l'hôtesse parut en tête de la passerelle. Les premières personnes s'y engagèrent.

La file se formait déjà sur le tarmac. Je sentis mes ongles s'enfoncer dans la balustrade. Que faisait donc Janos ? Pourquoi ne paraissait-il pas le premier ?

L'avion continuait à libérer les passagers un par un et presque tous avaient le même geste, la tête levée, en même temps que la main vers la terrasse où nous étions nombreux maintenant. Je prenais conscience tout à coup que ces gens attendaient comme moi. Je me penchai ardemment, presque malade d'impatience.

Puis, tout à coup, j'eus une bouffée de joie : Tony !

Je pensai : « Janos le suit, sans doute ! »

Non, derrière Tony, une petite vieille dame débarquait et il se retournait pour l'aider à porter un énorme fourre-tout qu'elle serrait péniblement. C'était bien Tony ! J'eus le temps de voir fugitivement qu'il était toujours aussi mince et élégant, toujours aussi désinvolte.

Mais Janos ?

A ma grande horreur, après deux autres personnes, je vis apparaître le pilote et la dernière hôtesse.

Je ne pouvais y croire. Il n'était pas dans l'avion !

Je cherchai alors Tony des yeux. Il était sur le tarmac, suivant la file et regardait de mon côté.

Il dut rencontrer mes yeux affolés, car il fit un grand signe qui voulait dire n'importe quoi. Je n'eus plus qu'une idée : le rejoindre pour savoir, savoir avant tout. Je me mis à courir de mon mieux, en me tenant à tout ce qui me tombait sous la main. Puis, ce fut le supplice des paperasseries et des formalités d'une aérogare.

A travers les portes vitrées, je voyais l'impatience de Tony.

Mes lèvres tremblaient quand, enfin, il apparut, sa valise à la main, arborant un large sourire. Pourtant, j'aurais juré qu'il y avait quelque chose de trouble dans son regard. Je me précipitai vers lui. Il me prit les deux mains, recula légèrement en m'enveloppant d'un franc coup d'œil expressif.

— Eh bien, ma petite Cathy, tu te portes bien, il me semble !

Il m'attira promptement et m'embrassa sur les deux joues. Déjà, je me dégageais en criant :

— Janos, Tony, Janos ? Il n'est pas là !

Je sentis sa main autour de mes épaules.

— Là, tu ne vas pas t'écrouler, mon petit chat ? Il y a eu un contretemps...

— Il lui est arrivé quelque chose, je le sens, je le sens !

— Tu ne sens rien du tout ! Viens, rentrons, je t'expliquerai. Je meurs de faim, et j'espère que tu m'offriras à déjeuner.

J'écartai le déjeuner d'un geste impatient.

— Bien sûr... Mais, dis-moi vite, Tony, je deviens

malade d'angoisse. Que lui est-il arrivé, pourquoi n'est-il pas là ?

Il m'entraînait avec un grand rire.

— Arrivé ! Que veux-tu qu'il lui soit arrivé ? Un contretemps, tout simplement.

— Mais alors, ne quittons pas l'aéroport, Tony ! Il est dans le suivant ?

— Non, non... Viens, je t'expliquerai...

Nous traversions la foule, moi haletante, roulant plutôt que je ne marchais, le bras serré sous le sien. J'étais indignée de me cramponner à lui, et, en même temps, cette influence apaisante qu'il a toujours exercée sur moi me faisait du bien. Je n'étais plus seule en tout cas.

Albert s'avança à notre rencontre et prit la valise de l'arrivant.

— Bonjour, M. Mac Allan ! Et M. Ruhska ? Il n'est pas arrivé ?

J'aurais bien hurlé. Tony m'aida à monter dans la voiture tout en répondant :

— Non, Albert, M. Ruhska a été retenu à la dernière minute... Monte, ma petite Cathy. Oh ! que tu as les chevilles gonflées...

— Oui, dis-je distraitement, ce n'est rien, ça passera après la naissance. Oh ! Tony, dis-moi vite, je ne vis plus !... Quand... quand arrive-t-il ? Demain ?

Il s'assit à côté de moi tandis que la voiture démarrait.

— Non, fit-il plus sérieusement, pas demain, un peu plus tard.

— Mais qu'est-il arrivé ?

— Tout simplement que ton cher mari est un idiot,

dit-il avec bonne humeur. Il a signé son contrat à peu
près les yeux fermés. Et comme le vieux Tony n'était
pas là pour tout contrôler, cela a été la grosse gaffe. Il
est contraint de donner un concert le 3... Demain. Et
le 9...

Je criai :

— Le 9... ? Mais ce sera trop tard, je dois accou-
cher à ce moment-là ! Oh ! comment a-t-il pu ? Il n'a
qu'à ne pas le donner, son concert ! C'est... c'est
honteux. Comment Janos peut-il me faire une peine
pareille !

Tony dit très doucement en me tapotant la main :

— Ne t'excite pas comme toujours... Tâche de te
rappeler que Janos a charge d'âme à présent. Il doit
honorer son contrat. Le dédit est tellement formidable, sauf cas de force majeure, qu'il ne pourrait y
faire face. Tu n'es pas à l'article de la mort que je
sache, mon petit. Loin de là ! Tu es seulement
terriblement nerveuse et déraisonnable parce que tu
es à la fin de ta grossesse. Mais pas un juriste ne
considérerait le fait de mettre ton enfant au monde
comme une catastrophe !

Je pleurais à chaudes larmes et, à travers mes
sanglots et mes reniflements, je lui jetai avec fureur :

— Et le moral, tu crois que ça ne compte pas, le
moral ? Je suis désespérée, Tony, désespérée. Le
9 !... Jamais je n'irai jusque-là... Ah ! il me l'avait
juré, juré...

Il regardait droit devant lui, mais sa main n'avait
pas lâché la mienne.

— Calme-toi. Oui, il te l'avait juré. D'autre part,
il a pris un engagement, il doit faire honneur à sa

signature. Il reviendra tout de suite après, j'en suis
certain. D'ailleurs, les médecins se trompent toujours quand ils prédisent une date. Cela te paraît
terrible d'attendre, mais qu'est-ce dans une vie, huit
jours ? A ton âge surtout !... Au mien, ça commence
à compter.

— Tais-toi, dis-je distraitement, tu n'es pas
vieux... Où doit-il donner ces concerts ?

— A New York. Ton mari, Cathy, est un grand
bonhomme, un artiste merveilleux. Je crois bien qu'il
deviendra le plus grand pianiste du monde.

Cela me fit un peu de bien. Je me calmai. Il me
lâcha la main, et me prit le menton en riant.

— Là, ça va mieux ? On reprend courage ? Allons,
sois gentille pour ton vieux Tony. J'ai faim et j'ai des
tas de choses à te raconter.

La joie de cette vieille folle de Jane en revoyant
son favori me mit presque de mauvaise humeur, mais
j'avoue que bon gré, mal gré, je me sentais mieux.

Le déjeuner était savoureux. Jane le servit elle-
même sans cesser de lorgner Tony, sa figure sèche
illuminée. C'est tout juste si elle ne disait pas : « Ça,
miss Cathy, c'est un monsieur pour vous ! » Ça
m'agaçait prodigieusement.

Quand nous fûmes installés dans le salon, moi
affalée, ne sachant comment me mettre, Tony sortit
de sa serviette un disque dans sa jaquette brillante.

— Tiens, dit-il en me le tendant. Voici ce que ton
mari m'a chargé de te remettre.

Sur l'enveloppe, une très belle photo de Janos me
regardait avec gravité.

— Il n'a même pas pensé à m'écrire un mot !

— Comprends-le, que diable ! Il était plongé jusqu'au cou dans ses répétitions, harcelé par la presse, des tas de gens… Tu sais ce que c'est que l'organisation d'un concert, de la publicité, des séances de photographie.

Je tenais précautionneusement le disque. C'était le *Concerto n° 3,* de Prokofiev. J'étais fière de lire le nom de Janos Ruhska en grandes lettres. La photo était très belle. Un moment, je l'appuyai contre ma joue.

Tony qui était resté debout devant le foyer où les bûches attendaient d'être enflammées au cours d'une soirée trop fraîche, me regarda en souriant.

— Veux-tu que je le mette sur l'électrophone ?

Je secouai la tête, la voix sourde de sanglots rentrés.

— Non, non, pas maintenant. Je croirais qu'il est là ! Je ne puis encore supporter la déception. Non. Raconte-moi plutôt comment il vit. Il était encore à l'hôtel, aux dernières nouvelles.

— Je crois qu'il va s'installer en dehors de la ville. Il n'est plus habitué à cette vie trépidante. En somme, ici, dans l'île, vous êtes merveilleusement au calme. La Seine vous entoure, vous isole.

— C'est vrai. Continue…

Jane apporta le café. J'écoutais en sirotant ma tasse. Tony avait toujours eu le talent de raconter. Je commençais à me calmer. Mais, tout au fond de moi-même, cette pensée trouble dont j'avais honte et que je ne pouvais me décider à mettre en paroles… Pourtant, Tony avait toujours été mon confident et notre affection était toujours vive. J'aimais mieux oublier qu'il avait été un fiancé épris à sa curieuse manière, oui, curieuse.

La question sortit donc de mes lèvres sur un ton volontairement indifférent.

— A propos. Et Natacha ? Que devient-elle ?

Il répondit aussi vite :

— Natacha ? Ah ! je te vois venir, mon petit chat !... Eh bien, Natacha est à l'autre bout du monde, en ce moment.

Que c'était agréable à entendre !

— Elle chante à Brasilia. Elle ne reviendra pas ici de quelque temps.

Il ajouta, comme après réflexion :

— Ni aux Etats-Unis...

Il vint se percher sur le bras du canapé et me considéra avec cette éternelle lueur amusée dans ses yeux bleus.

— Rassurée, hein, petite sotte ?... Tu dois l'être, mais tu dois aussi être plus raisonnable. Quand on a accepté d'être l'épouse d'un très grand artiste, on ne doit pas s'attendre à une vie de petite bourgeoise. Au fond, tu es faite pour une vie paisible, familiale. Tu es une couche-tôt et tu n'as aucune résistance physique, m'a dit Janos. Et malheureusement, lui, a la manie des nuits qui sont des jours ! Sans prendre pour autant le jour pour la nuit. C'est une force de la nature, ce garçon.

— Mais il reviendra à temps ? Tony, je t'en supplie, dis-moi que oui ! L'affirme-t-il ? Va-t-il m'écrire ?

— Mais bien sûr qu'il va t'écrire ! Es-tu bête ! Allons, sèche tes larmes et écoute le disque.

La musique nous enveloppa, colorée, vivante, chaude sous les doigts inspirés de mon mari.

Il me sembla qu'il était là, tout proche.

Je me sentis mieux. Tony avait eu raison une fois de plus.

Quelques jours plus tard, je tenais la lettre de Janos.

Il me disait :

« Il paraît que tu as téléphoné...

« C'est terrible d'être toujours en mouvement. Trésor, pardonne-moi, je suis un fichu imbécile ! Je le répète, un grand imbécile. Je ne serai peut-être pas là pour le grand moment de ma pauvre petite Catherine ! Me pardonneras-tu ? Pourquoi ne m'as-tu pas empêché de partir ? Mais vois-tu, je suis contraint de rester ici. Je suis littéralement ligoté ! C'est trop stupide ! Je pense beaucoup à toi et j'espère de tout cœur que je pourrai quand même rentrer à temps. Sinon, je compte sur ce brave Tony pour t'aider. Tu es trop seule, ce n'est pas permis. Tu devrais avoir une amie, une femme près de toi. Mon pauvre petit cœur ! J'ai tant pitié de toi. Je t'écris entre une répétition et un cocktail important. La vie qu'on mène ici est une vie de fou. Tu ne peux t'en faire une idée. Pardonne-moi encore. Je voudrais que tout ait été autrement ! Je t'embrasse en hâte.

« JANOS. »

Au premier moment, la colère avait grondé en moi. Il avait le mauvais goût de me parler de Tony.

Celui que je voulais auprès de moi dans un moment pareil, c'était mon mari !

Janos ne me faisait même pas l'honneur d'être jaloux. Puis cette colère m'avait quittée. La lettre était comme un appel au secours et, moi, hélas ! j'étais tenue, clouée par ce ventre énorme, étouffant et ce petit être impitoyable et aveugle qui ne pensait qu'à naître.

Je crois que c'est à ce moment qu'a germée la semence de mon indifférence pour mon fils. Pourtant, plus tard...

C'est alors que, tout à coup, je sentis la première contraction. J'ai compris tout de suite que c'était le vrai début.

Je restai immobile longtemps, très longtemps. J'aurais voulu retenir cet irrévocable mouvement. Je ne cessais de gémir tout bas : « Si c'est ça, Janos ne sera pas là à temps ! »

Vingt-cinq minutes passèrent, interminables. Je reprenais presque espoir. Puis ce fut, violente, me grimpant le long des reins, une sensation que je n'avais jamais connue.

Je sautai fiévreusement sur le téléphone et demandai la communication pour New York. Il fallait au moins qu'il sût..

Rien. Un contact impossible, des voix sur la ligne, des appels, des sonneries sourdes. Enfin la réponse : Janos n'était pas à l'hôtel.

Une nouvelle contraction me bouleversa. Je me rappelai la recommandation de Janos : Tony... Je me fichais de Tony ! C'était lui, mon mari, que je voulais. Il n'empêche que je repris le téléphone. Tout plutôt que cette affreuse solitude.

Une douleur plus forte me crispa au moment où j'obtenais l'hôtel où Tony descendait généralement pendant ses séjours à Paris.

J'eus toutes les peines du monde à parler calmement. On me répondit que M. Mac Allan avait laissé un numéro où on pouvait toujours l'atteindre. Je ne pus retenir un demi-sourire. Ce n'était pas mon Janos qui, malgré sa tendresse spectaculaire, eût pensé à cela. J'atteignis facilement Tony. Sa voix était agitée.

— Qu'y a-t-il ?

— Tony, ça commence ! Je...

— Ne perdons pas de temps ! Si ça va trop vite, appelle la clinique. J'arrive !...

Quel soulagement de l'entendre !

Les contractions étaient plus fortes, mais ne se rapprochaient pas. Je ne voulais pas arriver toute seule dans cette clinique.

Vingt minutes ne s'étaient pas écoulées que j'entendis son coup de sonnette. Jane, que j'avais prévenue, courut lui ouvrir secrètement excitée d'être pour la première fois mêlée à un tel événement.

Tony entra en trombe au moment précis où, ayant un peu repris mes esprits, je pensais à utiliser la méthode qu'on m'avait inculquée. Je haletais, m'appliquant à laisser les mains mollement en pleine décontraction à mes côtés.

Il s'arrêta, ahuri.

— Qu'est-ce que tu fais là ? Tu halètes comme un petit chien ! Mon Dieu, Cathy, ça ne va pas ?

Je lui fis signe de se taire. Puis la sensation s'effaça.
Je respirai à fond et lui souris faiblement.

— C'est la méthode « sans douleur » ! Cette fois,
ça commence ! Régulièrement, toutes les vingt-cinq
minutes. Et déjà fortes, tu sais ! Oh ! Tony, j'ai
essayé de...

J'éclatai en sanglots. Il vint s'asseoir tout près de
moi, m'entoura les épaules.

— Tu as essayé quoi ?...

— D'avoir Janos au bout du fil... impossible...
Tiens, lis sa lettre...

Son visage était grave quand il me la rendit sans me
regarder.

— Oui, il a raison, il a été un imbécile de négliger
ainsi ses contrats. Il n'a pas prévu, vois-tu, que cela
pouvait réellement arriver. Pour lui, c'était une vue
de l'esprit ! Mais enfin, maintenant, il faut voir les
choses comme elles sont. Il te faut mettre ce bébé au
monde. Même sans Janos ! Sois brave, de toute
façon, il ne pourra arriver. Il doit donner son concert
ce soir. Mais après, peut-être, mon petit chat...

Ça me rappelait le passé. Brusquement énervée, je
criai :

— Ne dis pas cela ! cela ressemble trop au petit
nom que Janos me donne : « Mein Schatz », mon
trésor !

Il ne fit aucun commentaire, mais passa son bras
autour de mes épaules ; puis, au bout d'un temps :

— Allons, je crois que tu es très nerveuse. Il vaut
mieux partir pour la clinique.

— Oui, partons. Tu as ta voiture ?

— Elle est en bas.

— J'aime mieux cela qu'une ambulance.

Jane ajoutait fiévreusement quelques objets dans la valise prête depuis plusieurs jours.

— N'oublie pas les affaires du bébé.

— Non, miss Cathy !

— Ah ! dit Tony en sautant sur ses pieds, j'y pense... J'ai apporté une valise spéciale pour monsieur mon filleul.

Il courut dans le hall et en revint avec une petite merveille en peau blanche qui avait dû coûter une fortune.

— Voilà, Jane, pour mettre ses petits trucs.

La vieille fille lui lança un regard d'éperdue adoration. J'étais trop occupée avec une nouvelle contraction pour le remercier. Je luttais contre une panique que je n'arrivais pas à surmonter.

Ils attendirent tous deux que j'eusse fait une bonne inspiration, puis Tony me fit lever et m'emmena. A la porte, Jane me tendit une main pas très sûre. Je lui mis le bras autour du cou sans rien dire de plus.

Ce qui s'est passé demeure gravé dans mon souvenir. Ce sont, quoi qu'il soit arrivé ensuite, des moments qu'on n'oublie pas.

Pas un instant, le chagrin de l'absence de Janos ne m'a quittée.

Je tremblais comme une feuille en entrant dans la clinique, sans mon mari.

Les infirmières m'agacèrent parce qu'ignorant la situation. L'une d'elles, après m'avoir installée dans une chambre de grand luxe — Janos l'avait retenue d'avance — dit à Tony :

— Voulez-vous rester auprès de votre femme, monsieur ?

Puis elle s'éclipsa avant que nous ayons pu rectifier.

Il me fit une affreuse grimace de travers en s'asseyant à côté du lit.

— Eh bien, qu'en dis-tu ? Me voilà promu au rôle de mari !

Il riait d'une manière si désarmante qu'il m'arracha un sourire. Puis ma bouche se crispa.

— Tais-toi, ça recommence !

Je m'efforçais de me calmer, mais les choses me parurent brusquement s'aggraver. Tony eut l'air tout à fait affolé et sonna précipitamment. Le ballet commença. Infirmières, sourires fermés. « Monsieur, voulez-vous sortir un instant ? » Explications : « M. Mac Allan est le parrain du bébé à venir, ami d'enfance, etc. Il faut qu'il puisse revenir après l'examen. » A défaut de Janos, je ne pouvais m'en passer, c'est un fait ! Je m'attendais à me souvenir de sa bonté, de sa sollicitude désintéressées.

— Très bien, très bien, madame, M. Mac Allan reviendra dans quelques instants.

Le médecin parut. Les jeunes personnes, fraîches et toutes crissantes d'amidon, s'empressèrent. Examen. Moue désabusée. Léger, très léger début de travail. « Mais ça fait déjà si mal, docteur ! » « Patience, madame ! »

J'essaie d'avoir de la patience. Maintenant que la bataille est engagée, je désire la victoire finale. Et je garde toujours l'espoir que Janos arrivera à temps pour voir naître son fils.

CHAPITRE VII

Les heures passent. J'ai réclamé Tony à cor et à cri, sans penser une minute qu'il pût être fatigué. N'as-tu donc toujours été qu'égoïste, Catherine ? Non, non, puisque j'ai pu me sacrifier jadis pour Natacha.

Natacha... Je repense à elle. Je l'imagine mal, assise à mon chevet, elle si élégante, si parfumée, si éloignée de la violence physique de la nature ! Elle n'a jamais été mère que selon le cœur... La vision passe. Ce n'est pas d'elle que j'ai besoin.

Je m'énerve de plus en plus et essaie d'écouter sagement les conseils d'une charmante femme à l'accent russe, aux beaux yeux mélancoliques. Elle m'aide. Elle arrive parfois à transformer les douleurs par le miracle de la décontraction. Pas toujours. Elle me quitte pour quelque temps et je l'entends dire à l'infirmière dans le corridor : « Elle réagit mal à la méthode. Trop crispée... » L'autre répond : « Que voulez-vous, elle est malheureuse parce que son mari n'est pas là. Vous savez, le grand pianiste, Janos Ruhska... » Les voix s'éloignent. J'ai envie de hurler : « Oui, je voudrais mon mari ! » Et j'appelle

Tony qui est allé fumer une cigarette. Il rentre, s'assied, paisible, et me prend la main.

On apporte un repas. Tony dévore ! J'attends les contractions. Plus rien. On remet Tony à la porte. Nouvel examen. Que tous ces gens sont donc immaculés. Ils sentent la fraîcheur avec un léger relent de médicament.

Le médecin hoche la tête.

— Petite pause seulement. Et les contractions sont arrêtées, dites-vous ?

L'infirmière-chef passa. Elle jeta un coup d'œil à Tony. Il souriait légèrement comme toujours.

Elle avait la voix suave.

— Madame, le travail s'est arrêté, nous allons vous donner quelque chose et vous allez dormir. C'est un répit que vous accorde la nature. Et puis, comme cela, Monsieur pourra se reposer un peu, rentrer chez lui...

Je hurlai :

— Non, non, Tony, ne me quitte pas ! Je ne veux rien prendre s'il... s'il ne peut pas rester un peu près de moi, si je dois m'endormir. Madame, je vous en prie. Il remplace mon mari qui ne peut pas être ici, je vous en supplie. C'est comme... comme si c'était mon père !

Je lus dans le regard fixé sur moi, clair comme le jour, le verdict : « Son père !... Quelle petite hystérique ! »

Quant à Tony, il ne broncha pas.

Mais on pouvait faire des concessions à la femme d'un célèbre artiste.

— Bien, que Monsieur reste quelques minutes.

Mais il est onze heures du soir déjà ! M. Mac Allan
doit être fatigué.

— C'est vrai, c'est vrai !... Quelques minutes seulement.

J'absorbai ce qu'on me donna. J'avais honte,
terriblement, mais il me semblait que le monde me
devait tout parce que Janos n'était pas là.

On nous laissa seuls.

Tony resta assis à côté du lit. Un immense découragement s'était emparé de moi.

Je lui tendis la main avec un triste sourire. Il s'en
empara. L'émotion parcourut ses traits. Je sais qu'à
ce moment, je me suis dit avec une espèce de
mélancolique douceur : « Il m'aime encore ! Pauvre
Tony ! Il est fatigué... Je sais tout ce que je lui dois,
mais comme je m'en soucie réellement peu !
Janos !... »

Je dis :

— Maintenant, que fait-il, crois-tu ?

— Les heures étant différentes, je suppose qu'il se
fait encore les doigts et puis qu'il va se préparer.

J'eus une pauvre grimace.

— En tout cas, maintenant, il ne pourrait plus être
là... Et je serai peut-être morte...

Et comme il se récriait avec un rire qui voulait être
encourageant, mais ne l'était pas, j'ajoutai :

— Pourquoi cet arrêt, Tony ?... Je crois que c'est
grave !

Il essayait de se rassurer lui-même.

— Mais non, voyons, tu es idiote, mon petit ch...
ma petite Cathy. Le médecin me l'a dit. C'est normal

et fréquent pour un premier. Tu dois dormir, prendre
des forces.

— Tony, tu es bon d'être là. Que ferais-je sans
toi !

Il grommela quelque chose que je ne compris pas
bien, mais je crus deviner un blâme pour Janos. Cela,
je ne le supporterais jamais.

— Non, ne dis rien. Mon pauvre amour n'a pas pu
faire autrement. Tu me l'as dit toi-même. Je vais
essayer de dormir, Tony, mes paupières pèsent, à
présent. C'est drôle d'avoir un corps qui semble
s'être endormi. Le petit ne bouge plus. J'ai peur, j'ai
peur.

Il me passa doucement la main sur le front.

— Il ne faut pas ! Je suis là, ma petite enfant, je
suis là ! Je ne te quitterai pas. Je resterai dans le
couloir si l'on me met hors de ta chambre.

Je bafouillai une réponse. Sa main passait et
repassait sur mon front. Je me sentis tout à coup très
bien, l'angoisse s'effaçait. Il me semblait entendre,
très lointaine, la mélodie qu' « il » avait composée.
Puis plus rien. Le sommeil m'avait prise.

Tout à coup, une violente douleur me réveilla, plus
forte, plus fouillée, plus profonde, s'irradiant immédiatement jusqu'à ma conscience. Je me dressai en
criant.

Et je vis Tony dans un fauteuil, la tête appuyée au
dossier. Il sursauta, ouvrit les yeux, se jeta sur la
sonnette.

Ce fut le branle-bas de combat. Et tout fut
confusion, effort, oubli total de ce qui n'était pas
obéir à la charmante créature en blouse blanche, qui

me donnait des ordres avec son joli accent slave. J'obéissais mécaniquement. Où était Tony ? Je l'ai su après. Effondré sur un fauteuil dans la salle d'attente, me contèrent plus tard les infirmières en riant, aussi agité qu'un père.

Il vint enfin un moment où je ne pensais plus ni à Janos, ni à Tony, ni à quiconque, mais seulement à écouter la voix encourageante. Enfin, dans un dernier gémissement rauque, je sentis la vie, encore humide, chaude, frémir entre mes genoux. Et le premier cri de mon enfant s'éleva, m'allant droit au cœur.

Je pleure en y pensant, je pleure parce que, depuis, quelque chose s'est gelé dans mon cœur à l'égard du petit Antoine. Ah ! retrouver cet instant, dans toute sa splendeur...

Il me semble qu'il s'agit d'une autre femme !

Tout est un peu confus dans mon souvenir. Une voix me disait : « C'est un beau petit garçon, madame !... »

Et je pleurais et riais, incroyablement soulagée, délivrée, et je disais sans arrêt : « Il faut télégraphier à son père, il faut télégraphier... »

Et on me le donnait à embrasser. Embrasser ! J'osais à peine le toucher ! Je passais les lèvres sur ce petit front tiède, et je riais de plus belle en contemplant la frimousse chiffonnée, renfrognée, la bouche qui s'ouvrait spasmodiquement sur un vagissement. Et je répétais : « Il ressemble à son père ! » Car à ce moment, c'est vrai, c'était une minuscule caricature de Janos.

Un peu plus tard on me mit sur le chariot.

Nous passâmes devant un des salons d'attente de la luxueuse clinique.

Une grande ombre se leva soudain d'un fauteuil et se découpa sur le soleil éclatant qui brillait derrière la fenêtre — il devait être dix heures du matin. Tony m'apparut, un Tony un peu hirsute, le menton bleu, les yeux battus. Je me souviens que je lui accordai une pensée : « Le pauvre ! Il n'est pas allé se coucher ! » L'infirmière qui roulait le chariot s'arrêta. Il me prit la main. Son sourire était hésitant. Il chuchota comme s'il avait peur de me faire mal en parlant :

— Ma petite Cathy !... On m'a dit que c'est un beau petit garçon !

— Oui, Tony... Tu as ton filleul, Antoine.

Puis j'ajoutai :

— On veut que je dorme maintenant... Après cette longue nuit d'efforts !... Toi aussi... Mais ne tarde pas une minute à téléphoner à Janos, je t'en supplie. Donne-lui des détails.

— Tu me diras tout cela. Va vite. Je te rejoins dans cinq minutes, quand on t'aura remise dans ton lit.

Il avait légèrement changé de figure quand je lui avais parlé de Janos.

Le ballet recommença. Enfin, souriantes, les infirmières s'effacèrent pour laisser entrer Tony. Il s'arrêta sur le seuil, comme ébloui. Je lui souriais de mon mieux, car je ne cessais de penser : « Ce devrait être Janos ! »

— Mon Dieu, mon petit, quelle transformation ! Hier, tu étais affolée, les cheveux en délire, les yeux plombés, les pommettes pourpres... Maintenant, je retrouve la petite Cathy du passé. Non, plus belle encore ! Ce que tu peux être jolie dans ce ravissant machin léger et surtout avec cette lumière dans les yeux. Même tes cheveux sont redevenus brillants.

Il avait les larmes aux yeux en s'asseyant à côté de moi, en me prenant la main et en la baisant doucement. Il la lâcha, son regard aigu et bleu fixé sur moi. Et il dit ce qu'il fallait :

— Si Janos pouvait te voir !

Je ne pus répondre. Il respecta mon émotion un long moment, puis se pencha et me reprit la main.

— Allons, courage ! Tu as ton beau bébé, et Janos reviendra bientôt, je l'espère.

— Oh ! dis-le-lui au téléphone. Et raconte-lui tout, tout... Combien ça a duré, ce que j'ai souffert, tout !

Il se moqua, comme toujours.

— Je vois que tu veux faire jouer la corde sensible ! Sois tranquille, je lui dirai... — ses yeux brillèrent de malice — que tu as été d'un courage admirable.

Je baissai le nez.

— Je sais que je n'ai pas été tellement à la hauteur... Et dis-lui que je l'attends de toute mon âme. Et que je téléphonerai plus tard.

Il se leva.

— Tu ne m'as pas encore proposé de contempler mon filleul !

— Oh ! mon pauvre Tony, c'est vrai !... Il est dans la nursery. Il faut demander. Je voulais l'avoir près de moi, mais je dois dormir. On est tyranisé ici, tu sais !

Il se mit à rire, me reprit la main, la serra sur ses lèvres un court instant. De la porte, il se retourna, rejoignit tous ses doigts en un bouquet, les porta à ses lèvres et m'envoya un nouveau baiser.

— Petite beauté !... A plus tard !

— Reviens me donner des nouvelles le plus vite possible.

La porte se referma, mon sourire s'effaça. Et je fus seule. La surexcitation heureuse d'avoir mis mon enfant au monde s'éteignait. Il ne restait que la grande nostalgie de Janos.

Je fermai les yeux, essayant de ressaisir la mélodie qu'il avait composée. Elle vint de très loin, poignante, à peine perceptible. Je croyais qu'elle était liée à jamais à cet enfant que nous avions désiré tous les deux.

C'est drôle. Maintenant, je ne l'entends plus.

On pourrait résumer en quatre mots les mois qui ont suivi et qui me rapprochaient du malheur de ma vie : désir fou de revoir Janos.

Nous avons été, lui et moi, victimes d'une succession de malchances incroyables. Il me téléphona le lendemain de la naissance d'Antoine. Le son de sa voix à travers ces milliers de kilomètres résonne encore à mes oreilles. C'étaient des mots tristes, attendris. Il se désolait de ne pouvoir revenir me serrer dans ses bras. Il avait besoin de moi. Il n'avait pas osé me dire plus tôt que le contrat était draconien et le dédit impensable. Il ne pouvait voyager, ni

courir aucun risque. Sauf pour raison d'absolue force
majeure, ce qui n'était pas le cas. Dieu merci !

Je protestais, pleurais au téléphone, mais il m'en
laissait à peine le temps, s'énervait. Il a terminé très
court en disant : « Ne t'attends pas à beaucoup de
coups de téléphone, ni à beaucoup de lettres, je
mène littéralement une vie de fou ! Demande à
Tony... »

Qui confirmait :

— Oui, je savais tout cela, mon petit, mais je ne
voulais pas te décourager au moment où tu avais
besoin de toutes tes forces.

Nous étions dans ma chambre de clinique illuminée de soleil. J'étais debout déjà dans un sémillant
déshabillé, comme disait Tony. Je luttais de mon
mieux contre mon désespoir. Ne pas revoir mon mari
avant Dieu sait combien de temps !

— Quand ? Quand ?

Il hocha la tête, les yeux sur la fenêtre.

— Comment le préciser avec certitude ? Il a une
série de concerts dans tous les coins des Etats-Unis.

Je me cramponnai à sa manche et je lui souris à
travers les larmes.

— Tu es si bon !... Oh ! n'aurais-tu pas une petite
tournée à faire là-bas ? Tu pourrais peut-être obtenir
un adoucissement des clauses de son contrat... Tu es
mondialement connu. Je t'en supplie.

Il baissa les yeux sur ma main, releva un sourcil en
me regardant avec une expression indéfinissable.

— Une bonne poire, hein, le vieux Tony ? On
essaie de le prendre par la flatterie. Que me
demanderas-tu encore ?

Il est certain que j'en prenais à mon aise avec lui. Mais je voulais me persuader qu'il ne tenait plus à moi que comme une amie, non, à une fille très aimée. J'ai toujours eu la faculté de me persuader de tas de choses ! D'ailleurs, même maintenant, je ne sais que penser.

Je me sentis rougir.

— Il ne faut pas m'en vouloir !... Je ne sais plus très bien ce que je dis. Penser qu'il ne verra pas ce petit bébé avant des mois peut-être !... Et puis...

Il alla jusqu'à la fenêtre, lança un coup d'œil à l'extérieur et me répondit d'une voix unie :

— Il se trouve justement que je dois retourner là-bas, dans quelques jours. Je verrai ce que je peux faire.

Je me lançai en avant, débordant de gratitude. Tony a peut-être trente-huit ans, mais est de ces hommes qui conservent une extraordinaire jeunesse. Avec cela, toujours tiré à quatre épingles. Non, ce n'est pas le mot, il n'y a rien de sophistiqué en lui. Il est à l'aise dans des vêtements élégants, c'est tout. Son parfum discret, bien masculin, que je retrouvais (vieux souvenir de nos fiancailles !) me frappa pendant que j'appuyais ma tête sur sa poitrine en balbutiant des remerciements.

Il m'écarta doucement. Mais quand je levai la tête, un peu confuse, il souriait.

Je soupirai :

— Pauvre Tony, c'est vrai que je te mets à toutes les sauces !

Il se mit à rire et me donna sur l'épaule une tape qui me rassura. Elle n'avait rien d'amoureux.

— Tu peux le dire. Mais ne t'ai-je pas promis, un jour, que je serais toujours là ?

Je m'en souvenais.

Il partit, en effet, la semaine suivante. J'étais rentrée à l'appartement de l'île et Jane avait reçu le bébé avec une figure presque joyeuse. Je crois qu'à partir de ce moment, elle a transféré un peu de l'amour qu'elle portait à Tony sur ce nouveau-né.

Je ne le nourrissais pas, car je ne voulais pas risquer d'abîmer cette poitrine que Janos admirait. Janos m'avait envoyé une autre lettre très brève, dans laquelle il me conseillait de prendre le meilleur pédiatre de tout Paris. Lettre beaucoup trop courte à mon goût...

Puis ce fut le silence.

CHAPITRE VIII

En attendant le retour de Tony, je ne vivais que pour Antoine. Jane le soignait si admirablement que j'avais renoncé à la nurse dont parlait Janos. Nous nous disputions le bébé. Je cherchais souvent sur le petit visage indécis de mon fils, cette ressemblance avec Janos qui m'avait frappée à sa naissance. Il n'en restait rien et cela me peinait. Je le tenais contre moi, les yeux fermés, à respirer, sur la douceur moite de son crâne, sa délicate odeur de tout-petit. Et je cherchais la lueur d'intelligence dans ses yeux vagues, comme le font toutes les mamans. Je m'extasiais devant ses mains minuscules et je mesurais l'écartement de ses doigts.

« Seras-tu un grand pianiste comme ton papa ? » Je lui faisais entendre les enregistrements de Janos au grand scandale de Jane qui prônait le calme absolu autour du nouveau-né.

Tony revint au bout de quinze jours. Antoine commençait alors à regarder autour de lui avec moins d'incertitude et Jane prétendait qu'il lui avait souri.

Je laissai à peine au parrain le temps de chatouil-

ler, sans résultat d'ailleurs, le menton de son filleul.
Je brûlais d'impatience.

Tony était pâle et fatigué. A défaut d'une brillante
intelligence, je l'ai déjà dit, j'ai de l'intuition. Quelque chose me déplut, m'effraya même dans son
aspect. Sa voix avait cependant les inflexions repo-
santes coutumières, mais il y avait en lui une inquiétude indéfinissable.

Je lui laissai tout juste le temps de s'effondrer dans
un fauteuil et me penchai sur le bras.

— Raconte, raconte vite !

Il prit le temps d'allumer une cigarette.

— Eh bien, tout d'abord, il va bien.

— Ah ! quel bonheur ! Il supporte cette vie fati-
gante ?

— Oui, tu connais Janos, c'est un oiseau de nuit.
Mais il a bonne mine.

— Oh ! Tony, il n'est pas trop triste ? Il t'a
demandé des détails sur le petit ?

C'est peut-être alors que j'ai commencé à me
méfier de Tony. Je me demande si, au fond, tout au
fond du cœur, malgré ses immenses qualités, il
n'avait pas, à ce moment-là déjà, un espoir. Bien sûr,
je suis la femme d'un seul homme, il doit le savoir.
Mais tout de même... Il a pu se dire qu'il pourrait
profiter de l'absence de Janos.

J'ai donc remarqué sa légère hésitation. Il n'est pas
impossible que, comme nous tous, il ait parfois des
pensées troubles dont il est honteux ensuite. Ce
qui expliquerait son attitude que je ne comprends pas
toujours.

Il dit, après un temps qui me parut long :

— Naturellement. Qu'imagines-tu ? Janos est très ému à l'idée d'être père.

— Il te l'a dit ?

— Tu parles !...

— Et de moi, qu'a-t-il dit ?

Il s'exprima lentement, comme pour faire pénétrer les paroles en moi.

— Il a été très, très ému aussi du récit que je lui ai fait.

Je digérai cela, les larmes aux yeux.

— Il n'était pas triste de n'avoir pas été là ?

Il me répondit presque avec impatience :

— Es-tu sotte ! Naturellement !... Très triste, très désolé de t'avoir fait de la peine.

— C'est bien vrai ?

Son ton monta légèrement :

— Que crains-tu donc ?

Je baissai la tête.

— Tu as raison, je suis injuste. Mais vois-tu... Est-ce que tu as pu voir l'imprésario qui a signé le contrat ?

— Je l'ai vu. Rien à faire, Cathy, rien à faire. Janos a véritablement été idiot.

J'aurais juré qu'il en était content. Ma mauvaise humeur remonta en surface.

— On dirait que cela te fait plaisir.

J'observais ses mains. Elles se crispèrent un court instant. Assez pour que je me dise : « Tony cache ce qu'il pense ! »

Il ricana légèrement.

— Un très grand plaisir, en vérité, de te voir désolée, Cathy. Allons, cesse de te conduire en petite fille. Oh ! je sais ce que tu ressens. Tu ne pourrais pas de temps en temps envisager de vivre sans être à la traîne de Janos ?

La colère m'étouffa.

— Je ne sais à quoi tu penses, Tony, mais dis-toi bien que ma vie tout entière est axée sur Janos !

Il resta silencieux un moment, la tête baissée, puis se contenta de murmurer d'un air désinvolte :

— Je suis assez payé pour le savoir. Parlons d'autre chose, veux-tu ? Après tout, je me suis décarcassé pour toi. Ça mérite salaire. Je voudrais un thé à la Jane.

Je me levai, contente de pouvoir dissimuler cette rage qui ne me quittait pas. Il y a des choses si bizarres dans son attitude.

J'apprends mieux à me dominer, car quand je revins auprès de lui, précédant Jane tout sourire derrière sa table roulante, j'avais repris ma sérénité. Et, comme il le désirait, nous parlâmes de choses et d'autres. Je lui demandai au bout d'un temps :

— Natacha ? L'as-tu prévenue ?

Il beurra son scone avant de répondre :

— Oui, naturellement.

— Où est-elle en ce moment ?

— Au Canada, ma chère.

— Mais tu m'avais dit à Brasilia !

— Figure-toi qu'il existe des trucs qui tiennent dans l'air et qui s'appellent avions. Elle est au Canada.

— Elle ne m'a pas encore écrit !

— Tâche de te rappeler ce qu'est la vie d'une

vedette internationale. Tu recevras sans doute bientôt de ses nouvelles.

Et en effet, trois jours plus tard, il apparut, un
sourire particulièrement chaleureux aux lèvres.

— Natacha a mis un mot pour toi dans une de ses
lettres. Elle dit qu'elle n'a pas le temps d'écrire
longuement. Les minutes lui sont tellement comptées
que glisser une feuille dans une enveloppe lui pèse.
Tiens...

C'était très tendre mais très court, en effet. Elle
terminait les quelques mots en insistant pour que je
prenne toute l'aide possible et que, surtout, j'achète
ce que je voulais pour ce petit homme qui venait
d'entrer dans cette « vallée de larmes ». Elle terminait en disant : « On ne fait pas toujours ce qu'on
veut dans la vie, mon pigeon ! Il ne faut pas la
prendre trop au sérieux. Tâche d'être heureuse. Moi,
je ne le suis guère en ce moment, sois-en certaine. Le
Canada ne me convient pas, je pense. Fie-toi à Tony,
c'est le meilleur des hommes. »

Parce que j'étais troublée par cette lettre — je
n'aimais pas l'idée qu'elle fût malheureuse —, je dis
un peu méchamment :

— Tu as sans doute lu cette phrase si flatteuse
pour toi ?

Il se contenta de me regarder, puis se détourna et
se pencha sur le berceau.

Je continuai, je ne sais quel démon me poussant :

— Elle ne demande même pas s'il ressemble à
Janos.

Il se retourna d'un trait.

— Deviendrais-tu méchante, ma petite Cathy ?

J'étais rouge d'une honte subite. Je lui tendis les mains.

— Ne sois pas fâché, Tony, je n'arrive pas à me reprendre depuis la naissance du petit.

Il changea de figure. Ses yeux étaient pleins de bonté.

— Je ne suis pas fâché ; je ne pourrais jamais l'être contre toi. Allons, décide, une fois pour toutes, de jouir de la vie en attendant mieux. Tiens, j'ai bien envie de t'emmener à la réunion annuelle de mon clan en Ecosse.

— La réunion de ton clan ? Tu es fou, c'est en août ! J'espère bien que Janos sera revenu.

Il n'hésita qu'un instant :

— C'est vrai. Il sera probablement de retour. Bah, j'emmènerai une de mes petites admiratrices.

— Je suis sûre que tu n'en manques pas !

— C'est vrai.

Les jours passèrent, nous rapprochant de celui qui allait me détruire à tout jamais. Tony voyageait beaucoup, mais il venait régulièrement me voir. Comment m'empêcher d'en être heureuse ? Le temps était si long. Je vivais en recluse dans l'attente des léttres de Janos. Elles étaient tendres et me mettaient un peu de soleil au cœur, mais j'étais loin d'être satisfaite de ces miettes.

J'avais espéré, contre toute logique, que juillet le verrait rentrer au bercail. Il n'en fut rien. Il semblait découragé. Cela me serre le cœur d'autant plus que je ne pourrai plus jamais le consoler ! Il se préoccupait beaucoup de mon sort, me donnait des conseils pour l'éducation d'Antoine, comme s'il n'allait jamais revenir... Et j'en éprouvais de la rancœur, sans sentir, imbécile, cruelle, aveugle créature que j'étais, que, sans doute, mon pauvre mari pressentait ce qui l'attendait.

Et maintenant, j'en arrive au malheur.

Il faisait très beau, ce jour-là. J'avais ouvert la fenêtre sur un de ces doux et tendres jours que la fin août peut nous donner. L'arbre se dressait dans la cour, encore chargé de feuilles qui pourtant s'alanguissaient déjà.

Antoine dans les bras, j'étais à la fenêtre. Je m'amusais à le faire sourire. Dans mes lettres, je décrivais ces premiers sourires avec enthousiasme à Janos. Ils nous avaient bien amusées, Jane et moi, quelques semaines auparavant, quand ils étaient encore difficiles à déclencher, maladroits, mal attachés en quelque sorte. Tony les avait filmés et j'étais souvent sur l'image aussi. « Inonde ton mari de ces photos, disait-il, cela lui fera plaisir et l'aidera à supporter l'absence. » Curieux et insaisissable Tony !... C'était lui, encore, qui s'était chargé de les envoyer aux Etats-Unis. Il était ensuite parti, au début d'août, à la fameuse réunion de son clan et m'avait amusée avec sa description des traditions si candidement maintenues à travers les siècles. Puis il avait séjourné à New York pour affaires. L'avais-je assez harcelé à son retour ? Que devenait Janos ? Avait-il un espoir de revenir ? Non, il ne l'avait pas vu. Janos était en Californie. Furieuse parce qu'il n'avait pas songé à me rapporter des coupures de presse sur les concerts, je lui fis des reproches. Pour la première fois depuis que je le connaissais, je le vis se laisser aller à une brève mais violente colère. Il m'avait jeté : « Est-ce que tu t'imagines que je peux faire des miracles ? Voltiger d'un côté à l'autre des Etats-Unis ? Est-ce ma faute, après tout, si ton mari a signé un contrat parfaitement absurde ? »

Il était parti, contre son habitude, en claquant la porte. Et moi, indignée, de me demander comment il se permettait de juger mon mari !

Il y avait au moins huit jours que je ne l'avais revu, depuis cette scène orageuse. Je suis forcée d'avouer que je le regrettais, car il mettait un peu de vie dans le bel appartement trop calme. Puis, parfois il m'emmenait dans une boîte de nuit, écouter les chansonniers, ou au théâtre. Ce que je préférais, c'était me promener avec lui dans le vieux Paris, dans ses rues grises de passé, mais grouillant d'une vie intense. On ne s'ennuyait jamais avec Tony. Il avait le talent de vous tenir sous le charme de sa conversation si documentée que je me sentais très petite fille en l'écoutant. J'étais donc fort contrariée de ce que j'appelais sa bouderie. Aussi, quand je le vis tout à coup traverser la cour d'un pas pressé, je criai, toute contente, en agitant la main :

— Tony, Tony, je suis ici avec Antoine ! Monte directement à la nursery.

Il leva brusquement la tête. En une fulgurante seconde je sus qu'il m'apportait une mauvaise nouvelle.

Je déposai le bébé dans son berceau et traversai l'immense appartement vers le salon.

Il entra en même temps que moi par la porte du

hall. Je courus. Il était d'une pâleur extrême. Je repris ma course, m'arrêtai net contre lui. Il m'entoura de ses bras un bref instant, puis m'entraîna vers le canapé. Je m'y laissai tomber. Je ne devinais pas encore, mais mon cœur battait à grandes volées.

— Qu'est-ce qu'il y a, Tony ?

Il me regardait comme s'il ne pouvait se décider à parler.

— Il est arrivé quelque chose à Natacha ?

Pourquoi, oui, pourquoi ai-je pensé à elle ?

Il garda le silence un moment, secoua la tête.

— Ma petite Cathy... Je ne sais comment commencer...

Tout à coup, je compris.

— Janos !

— Oui, Janos a eu un accident, je viens de recevoir un câble.

— Un accident ?... De quoi ?...

— D'auto.

Je le regardai, épouvantée. Mes yeux devaient être énormes, dilatés de terreur. Pourtant, je ne voulais pas encore imaginer... C'était impensable.

Je soufflai :

— Il est blessé ?

— Oui, il est blessé.

Je bondis de mon siège.

— Il faut partir tout de suite !

Il me rassit, me mit les mains sur les épaules. Un muscle crispait sa joue.

— Ma pauvre petite Cathy !...

— Cesse de m'appeler « ma pauvre petite Cathy ! ».

Je cherchais la vérité sur ce visage que je connaissais si bien.

— Tony ?

Et, tout à coup, je lus dans ses yeux. Il vit que j'avais compris. Ses bras m'entourèrent pendant que je m'affaissais.

Je ne sais pas ce qui s'est passé après, parce que je suis tombée presque tout de suite de syncope en syncope, puis dans une maladie profonde comme un gouffre, pleine d'horreur, de cris, de gémissements, de cloches qui sonnent le glas, de brûlantes flammes...

Je ne peux plus continuer...

J'ai laissé passer quelques jours. Je viens de relire la page précédente... A quoi bon donner des détails sur cet horrible accident ? Janos avait pris sa Jaguar pour aller donner un concert. Une route dangereuse, un tournant mal amorcé. Pourquoi, on ne le saura jamais. Et la chute effroyable. C'est fini. On n'en parle plus. Je ne résisterai pas si j'y pense trop et je veux être courageuse. Je pense que ce grand malheur m'a donné plus de lucidité.

Je me trouve maintenant devant la nécessité de continuer à vivre. Car je ne mourrai pas, c'est un fait. Tony, une fois de plus, a eu raison. Il a gagné. Mais pas en tout. Je me demande si j'ai bien disséqué ses sentiments. Il est navrant de penser que tout ce beau, ce touchant dévouement qu'il n'a cessé de me témoigner, ne me débarrasse pas de mes doutes. Qu'a-t-il fait quand il est allé là-bas la première fois ?... A-t-il agi pour empêcher Janos de revenir ? Ce sont d'affreuses pensées et je me déteste de les avoir. Car si vraiment Tony n'a songé qu'à mon bonheur, je serais bien coupable alors.

Autre sujet de méditation. Et pourtant, quand il disparaît mystérieusement, avec une femme, je parie, je me sens mal à l'aise. Une certaine baronne que j'ai rencontrée dans la rue, l'autre jour — une ancienne admiratrice de Janos — m'a lancé un curieux regard, après m'avoir adressé des condoléances qui paraissaient un peu embarrassées. Je suis sûre qu'elle avait une arrière-pensée au sujet de Tony, car elle m'a dit d'un air indifférent : « M. Mac Allan est la coqueluche des femmes de Paris. C'est un homme charmant. Vous le voyez beaucoup ? » J'ai répondu avec l'indifférence nécessaire : « Souvent. C'est un vieil ami de la famille et le parrain de mon petit garçon. C'est un père pour moi. »

Ça m'a fait du bien de lancer cette pique. J'étais agacée. Tant mieux pour Tony s'il est la coqueluche des femmes de Paris. Cela vaut mieux puisqu'il n'a rien à espérer de moi. Pourtant, c'est dur d'être veuve à vingt ans, même si Janos est une lumière qui brille et brillera éternellement pour moi. Je n'ai plus de courage. Je ferai un grand effort pour m'intéresser de nouveau à ce petit enfant qui, comme le dit Tony, n'est pas responsable de ce qui est arrivé. Son père est mort. Il serait injuste qu'il n'ait plus de mère non plus.

Matériellement, au moins, il ne manquera de rien, bien que Tony ne cesse de prôner l'économie dans cette maison. Jane est toujours d'accord avec lui. Nous n'avons plus personne pour l'aider. Je m'y mettrai davantage. C'est le moins que je puisse faire.

Je vivrai dans mes souvenirs avec pour toute distraction des repassages, des cris d'enfant, quelques promenades dans l'île, car je ne veux plus voir personne. (Tony ne m'y encourage guère.) Et de temps à autre, un disque que j'écoute parce qu'il insiste. Je finirai par croire qu'il me séquestre.

Que tout cela est morne, désespérant.

17 août.

Je dois lui donner une réponse dans dix jours. Après notre retour de Newtonmore, il est reparti. Je suis dans le plus complet désarroi. Je ne sais plus. Je ne sais plus.

C'est pourquoi j'ai rouvert le cahier. Je n'avais plus écrit depuis que la boucle de malheur s'était refermée et que je me retrouvais au moment du début, alors que je venais d'apprendre la mort de mon mari. Cela fait des mois. Je me demande encore quels sont les motifs qui, à ce moment, ont poussé Tony à me faire faire ce retour en arrière. Sans doute espérait-il qu'en relisant tout ce qui a trait à la naissance d'Antoine, je me rendrais compte de ce que je lui devais.

Il a eu raison. J'ai été bouleversée en relisant ces pages. Il a été merveilleux.

Il y a, par contre, des choses qui m'ont toujours troublée. J'ai une nature trop simple, je ne supporte pas la duplicité. Et, par moments, je l'en ai soupçonné. Des choses bizarres se sont passées avant et après la mort de mon amour.

Mon amour... Justement, en relisant, j'ai compris la force du sentiment qui me liait à mon mari. Je ne suis pas une petite fille exaltée. Je suis une femme qui a eu l'immense bonheur d'être aimée par un artiste, par un homme d'une exceptionnelle valeur. Ai-je le droit de me laisser aller à ce qui n'est probablement que le mouvement de mes sens, au désir de bonheur qui est en nous ? Vraiment, je ne sais plus.

Ce que je vais essayer de faire à présent, c'est — sans passion, objectivement — de résumer les événements qui ont eu lieu depuis l'an dernier. Je dois voir clair pour prendre une décision.

Cette décision, je suis absolument incapable de la prendre. Sans contester une seconde ce que je dois à Tony, il y a des contradictions pour le moins étranges dans son comportement, des faits que je ne m'explique pas très bien. C'est pourquoi il me faut mettre toute sentimentalité de côté, rassembler les souvenirs, les examiner comme s'il s'agissait de quelqu'un d'autre. Bref, gagner plus de maturité, de courage aussi. Il s'agit d'engager toute ma vie et celle de mon fils qui me tient maintenant beaucoup plus à cœur.

Il y a d'abord le grand chagrin que j'ai eu à cause de Natacha. Elle me manquait tellement...

C'était dans le courant de novembre. Etonnée de ne pas avoir reçu de nouvelles d'elle, je l'avais dit à Tony. Il avait hoché la tête.

— Qu'est-ce que tu veux ? Elle est en tournée au loin, dans Dieu sait quelle ville du Canada. Elle se déplace beaucoup. Elle t'écrira, mon petit, sois-en certaine.

Mais il avait l'air songeur en me quittant, tracassé même. Je pense que le silence de ma belle-mère l'intriguait autant que moi. J'en avais du chagrin. Depuis la mort de Janos, tout ce qui pouvait me rester de rancœur à son égard s'était évanoui. Je n'avais plus rien à craindre. Avais-je eu des raisons de le faire ?

Il me semblait, au contraire, que ç'aurait été un faible baume à ma douleur de me dire que, puisqu'elle l'avait aimé, elle me comprendrait mieux que n'importe qui, qu'elle pleurait avec moi. Natacha était foncièrement bonne. Elle devait avoir pitié de « son pigeon » à la mesure de sa propre souffrance.

Tony avait dû partir quelques jours. Il était en train de négocier un contrat avec une grande vedette internationale de la chanson. A cette époque, il était assez pâle et défait. Je crois que la mort de Janos l'avait profondément touché.

Son affection pouvait être réellement paternelle ou fraternelle. Il m'arrivait de me dire qu'être aimée d'un homme que tout le monde s'accordait à trouver attachant et original était presque un bonheur. Mais mes crises d'humilité étaient rares. Depuis, j'éprouvais comme une mauvaise satisfaction que je ne m'explique pas très bien à le tyranniser, cherchant sans doute obscurément à m'assurer de son attachement. Pourtant, pas une fois il n'avait eu un geste qui ne fût strictement amical. Il me regardait toujours comme s'il me jaugeait avec une tendresse amusée. Tony était une énigme.

Tel était mon état d'esprit trois mois après le drame. Un lourd découragement, un vague intérêt pour Tony, une indifférence étrange pour mon fils, la nostalgie de la tendresse de Natacha.

J'errais dans le salon ce matin-là, un torchon à la main, enlevant languissamment la poussière. Je pré-

férais encore cela aux soins du bébé. Et Jane
appréciait beaucoup cette répartition du travail. Elle
était toujours aussi attachée à l'enfant. Pour lui seul,
elle sortait de sa réserve.

Janos ne quittait pas ma pensée. Et toujours
entouré d'une espèce de halo musical ; et pourtant je
ne pouvais encore me résoudre à écouter ses disques.

La sonnette résonna. J'allai ouvrir moi-même.

Et je fus surprise, car je n'attendais pas le retour
de Tony aussi tôt. Une fois de plus, je remarquai
qu'il avait mauvaise mine.

Je fus contente de le revoir, mais sans trop le lui
montrer.

— Comment, tu es déjà revenu ?

Il entra sans me regarder, alla droit à notre canapé
favori. Il s'y affala et tapota le coussin à côté de lui.

— Qu'est-ce que tu as ? Tu as l'air étrange !

Il alluma une cigarette et me lança un coup d'œil
par-dessus la première bouffée.

— J'ai enfin des nouvelles de Natacha, Cathy.

— Enfin ! Elle m'a écrit ?

Il secoua la tête.

— Natacha est trop malade pour t'avoir écrit.

— Malade ? On n'en a rien dit dans la presse. J'ai
lu le journal ce matin, et...

— Natacha est une grande vedette, mais on n'en
parle pas tellement ici quand elle est au loin. Et puis,
ça dépend des feuilles de chou. Elle est très malade,
mon petit chat.

Je m'étais dressée, tout de suite, anxieuse.

— Tony !... Malade ? Qu'est-ce qu'elle a ?

— C'est très grave. C'est pour cela, vois-tu,

qu'elle n'a pas donné signe de vie après la mort de
Janos.

— Elle sait ?

Je fus frappée de sa pâleur. Mon cœur sauta
violemment.

— Tony, qu'est-ce qu'il y a ? Réponds-moi, tu fais
une si drôle de tête... Qu'a-t-elle ? Réponds-moi.

Il prit son temps, écrasa nerveusement sa cigarette
à peine entamée :

— On l'a transportée à l'hôpital. C'est très moche,
Cathy, très moche !...

— Elle est donc si mal ? Comment le sais-tu ?

— Elle... elle a chargé l'hôpital de me prévenir.

Comme pour Janos ! Je fis le geste de me lever.

— Téléphonons tout de suite !

Il m'arrêta de la main. Il me regardait avec une
expression de profonde tristesse.

— Inutile, ma pauvre petite Cathy !...

— Quoi ?

Je ne pouvais encore imaginer, accepter au moins.
Mais je ne perdis pas conscience comme l'autre fois ;
ce n'était pas ma vie qu'on m'arrachait, mais peut-
être ma jeunesse et, en tout cas, la seule tendresse
féminine que j'eusse jamais connue après la mort de
ma mère.

J'éclatai en sanglots et, une fois de plus, les bras de
Tony m'entourèrent. Il me murmurait des mots que
je n'entendis pas, mais j'en devinais seulement la
douceur et la tristesse.

Quand je pus enfin parler, je demandai :

— Quand ?

Un long silence.

— Hier.

Il essuya lui-même les larmes qui continuaient de couler. Puis, les yeux dans le vide, les coudes sur les genoux, il raconta :

— Je n'ai reçu le coup de téléphone que très tard hier soir. Natacha avait été transportée en clinique, il y a plus de quinze jours. Avant, elle avait eu un stupide petit accident qui lui avait foulé le pouce et amoché deux doigts. Raison de plus pour ne pouvoir t'écrire. Elle venait à peine d'apprendre la mort de Janos.

Je sanglotais, pleine d'une immense désolation.

— Oh ! Tony, comme j'aurais voulu être près d'elle ! C'est affreux, affreux !... Je ne puis imaginer Natacha morte, glacée à jamais. Tu l'imagines, toi ? (il secouait la tête) Natacha, Natacha ! si tendre, si bonne !... Sa voix... éteinte, éteinte... Non, non, je ne puis pas le croire. Qu'est-il arrivé ? De quoi est-elle... morte ? Je puis à peine dire le mot.

Il reprit une cigarette sans me regarder, mais je voyais ma misère, mon chagrin se refléter sur son visage.

— D'une crise d'urémie probablement. La communication était mauvaise, je n'ai pas très bien compris.

— Où était-ce ?

— A Ottawa.

— Oh ! Tony, toute seule, sans personne pour lui donner un peu de tendresse, de douceur, lui tenir la main... Elle a tant fait pour moi, j'aurais dû y être, j'avais promis à papa de toujours l'aimer, la protéger, de...

Il se tourna vers moi. Je n'oublierai pas de si tôt son expression désolée.

— Ne crois-tu pas, mon petit, qu'un jour, tu as fait le maximum de ce que tu pouvais pour elle ?

Cela me fit un peu de bien.

— Oui, mais ensuite, son sacrifice à elle !... Car tu sais, aimer un homme tel que Janos, ça vous marque pour toujours !

Il m'attira, cacha mes yeux sur son épaule.

— Je sais, je sais... Pauvre Natacha !... Mais elle s'était consolée, et je crois qu'elle avait repris goût à la vie. Tu ne dois plus t'inquiéter pour cela. Tu peux le regretter, te rappeler le passé, mais ne te fais aucun reproche.

— Ce n'est pas tant cela, c'est la pensée de cette mort solitaire qui me paraît la chose la plus terrible qui soit. Si encore, tiens, ç'avait été une mort rapide, comme celle de mon pauvre amour. Elle s'est peut-être vue mourir !

Il secoua la tête.

— Il paraît que non.

Nous restâmes silencieux un long moment. Puis je m'écriai :

— Je voudrais aller là-bas pour les obsèques.

Il sursauta.

— Tu es folle, ma pauvre enfant ! Mille raisons s'y opposent (il parlait avec une soudaine véhémence.) Tu ne peux quitter Antoine comme cela. De plus, tu dois te rendre compte que le voyage coûte les yeux de la tête.

Je criai en me redressant (c'est curieux comme tous les détails me reviennent avec une grande clarté) :

— Que m'importe la dépense! Je dois cela à Natacha.

Nous nous regardions, moi avec désespoir, lui, avec une grande fermeté.

— Il ne peut en être question. Il faut que tu réalises que ta situation peu brillante ne te le permet absolument pas. Et la mienne n'est pas tellement meilleure, ces temps-ci, que je puisse te l'offrir.

Malgré mon chagrin, j'ouvris de grands yeux.

— Pas brillante? Mais il doit y avoir des rentrées du disque de Janos!

— Pas autant qu'on l'espérait, mon petit. D'ailleurs, je n'ai pas encore osé te le dire, mais nous arriverions trop tard. Natacha a voulu être incinérée. C'était aujourd'hui.

— Mais tu as dit : « Hier »...

— Je l'ai appris hier.

— Je ne comprends plus.

— A quoi bon te torturer ? Une chose est certaine, la pauvre Natacha est morte. Et comme je la connais, elle ne devait pas désirer qu'on fasse grand cas de sa pauvre carcasse. Ces dispositions, il y a longtemps qu'elle les avait prises. Tu sais que je suis son exécuteur testamentaire. Je savais cela depuis des années.

Distraitement, je lui mis la main sur le bras.

— Oui, tu t'occupes toujours de toutes les femmes en détresse.

— J'aimerais mieux les voir heureuses, ma petite Cathy !

— N'espère jamais que je revienne ce que j'ai été pendant ces mois bénis où j'ai été la femme de Janos !

Il ne répondit pas.

Nous restâmes longtemps, son bras autour de mes épaules. J'étais désolée, découragée.

Enfin, je me levai et me tournai vers lui. Il avait des yeux malheureux. Je dis tristement :

— Je vais mettre ce disque que j'aime tant et qu'elle chantait si admirablement : l'*Absence,* des *Nuits d'été* de Berlioz.

Il hocha la tête pendant que je mettais l'électrophone en marche. Puis je retournai me blottir contre lui.

Comme toujours, la musique agit sur moi comme un purificateur.

Tony se pencha et murmura :

— C'est ainsi que tu lui rends le plus grand hommage, Cathy. Natacha était un grand cœur. Et si elle a fait le mal, cela n'a jamais été sans en souffrir profondément. Elle était aussi belle et bonne que passionnée.

Je ne pus répondre. Je me cramponnais à lui, le nez sur son bras. Ce n'était pas vrai, je n'étais pas tout à fait seule. Tony avait été non seulement un ami incomparable — je ne voulais plus penser à l'amoureux — mais un frère, un père, et même, presque une mère pour moi.

La voix de Natacha flottait dans ce salon qui restait « son » salon malgré les changements que nous y avions apportés, Janos et moi. Tout le passé revenait en force dans les inflexions exquises de sa voix. Je n'en ai jamais entendu de plus belle. De plus puissante peut-être, mais jamais aussi simple. Elle avait le naturel d'une respiration, d'un battement de cœur. En décrire la douceur profonde, la chaleur, le volume, est impossible.

La voix se tut. Le silence retomba sur le salon. Avec un gémissement sourd, je me blottis plus près de Tony. Je sentis le léger tremblement de son bras qu'il resserrait. Et je murmurai :

— Ne me quitte pas trop vite, Tony, je suis si malheureuse !

— Non. Je devais voir un type ce soir, mais je remettrai le rendez-vous. Je resterai toute la journée auprès de toi... Je puis rester, si tu veux.

— Oh ! oui, je ne supporterais pas la soirée toute seule. Je voudrais lire un journal. En parle-t-on ?

— A quoi bon ! Cela ne fera que remuer le fer dans la plaie. J'y pense... nous avons oublié la pauvre Jane ! Il faut la prévenir.

— Mon Dieu, oui, ce sera un coup pour elle. Elle l'aimait tant !

— Heureusement, Antoine la distraira de son chagrin. Je vais aller le lui dire.

— Oh ! tu es bon. Je ne m'en sentais pas le courage.

Il se retourna et me regarda un instant. Je me demande ce qu'il a pensé. Que je n'avais, en effet, pas beaucoup de courage ? Sans doute, sans doute ! Mais la vie me l'avait bien ôté, mon courage !

Je déteste évoquer ici les détails matériels, mais malgré tout, il fallut bien m'en préoccuper. Je fus bien heureuse que Tony, nanti de ma procuration générale, se chargeât des démarches pour la succession.

Quand il vint m'en rendre compte, il était soucieux.

— Je suppose, mon petit, que tu imagines, assez naturellement, que Natacha t'a laissé ce qu'elle possédait. A la vérité, la pauvre chère n'était ni prévoyante ni pratique. Je ne puis que me réjouir qu'elle eût eu l'idée lumineuse de te donner l'appartement au moment de ton mariage. Natacha vivait au jour le jour. Sauf cet appartement et celui de Londres, elle ne possédait rien. Il ne lui est pas venu à l'idée de faire un testament en ta faveur. D'ailleurs, je ne sais pas pourquoi je te fais tous ces discours, puisqu'il ne reste pratiquement rien de ce qu'elle possédait, à part les tableaux de Londres. Et ce n'est même pas certain.

— Mais Natacha gagnait des fortunes !

— Qu'elle dépensait tout aussi vite. Elle a toujours été incapable de compter.

Je me pris la tête à deux mains.

— Je ne comprends rien à toutes ces questions, je te l'ai déjà dit. C'est comme pour Janos... Ses disques ?... Il me semble qu'il devrait y avoir des rentrées plus importantes. As-tu vérifié ces derniers temps ?

— Pas ces tout derniers temps, mais je vais le faire, dit-il précipitamment. La vente du Prokofiev n'a pas très bien marché, je crois.

Je fus indignée.

— Comment est-ce possible ! Une si belle œuvre ! Si admirablement interprétée !

Il répondit évasivement :

— Oh ! tu sais, on ne peut jamais prédire le succès d'un disque.

— Enfin, la conclusion de tout cela est que je n'aurai même pas un souvenir de Natacha. Tu sais que je ne suis pas intéressée, Tony, mais, comme tu le dis fort bien, j'étais sa fille en somme, et ça me paraissait naturel.

— Puisqu'il ne reste presque rien... Je vais m'occuper de la question des tableaux. Laisse-moi faire.

Je ne demandais que cela. Et la vie continua, marquée par ce grand chagrin qui venait se greffer sur l'autre.

Et ainsi, nous arrivâmes à Noël. Les jours de fête sont mélancoliques pour ceux qui sont désespérément seuls. Mais je voulus faire plaisir à la pauvre vieille Jane. Ne pas célébrer Chrismas l'eût profondément choquée. Elle m'avait représenté que M. Tony ne pouvait pas être laissé seul un tel jour. Je décorai donc le salon des fleurs, du houx et du gui que Tony avait envoyés à profusion. Le pied de l'arbre disparaissait sous les paquets enrubannés.

Tony arriva, l'air très heureux. Oui, tout compte fait, ce sont d'assez jolis moments passés devant un flamboyant feu de bois, avec le bébé attaché à sa chaise, battant des mains et des pieds. Il était très attachant et je commençais à m'intéresser à lui. Le déjeuner avait été délicieux et Jane avait consenti à braver l'étiquette et à boire un verre de champagne avec nous, au dessert. Puis on ouvrit les paquets. Tout le monde avait été gâté par Tony. La vieille fille était ravie de son sac élégant, « un sac de lady », disait-elle dans une soudaine explosion de sentiment.

Antoine ouvrait de grands yeux devant des jeux de construction pour bébé, ingénieux et jolis. Pour moi, Tony avait choisi un ravissant nécessaire de toilette qui avait dû coûter une fortune. Le cadeau que j'avais acheté, moi, à Tony paraissait peu de chose : un portefeuille — mais j'étais singulièrement désargentée en ces temps-là.

Quand j'ouvris le gros paquet qui m'avait intriguée, j'eus un sursaut de surprise. Il contenait deux des plus beaux tableaux de Londres. Je me souviens que je me tournai vers Tony, à la fois très heureuse et très émue. Ce passé qui revenait ! Il hocha la tête.

— Oui, dit-il, j'ai pu les récupérer, mon petit.

— Alors, elle avait pensé à moi ?

Pourquoi, oui, pourquoi y a-t-il eu chez lui cette légère hésitation ?

— Mr Blackstone a été très compréhensif. Etant donné que les tableaux lui avaient été confiés par Natacha avec recommandations orales de te les remettre, il a obtenu un jugement. Bref, continua-t-il très légèrement, je les ai pris et les voici. Ce sont de très belles toiles. L'une d'elles est d'un peintre anglais très coté chez nous. Natacha l'avait acheté...

— Oui, je sais... Quand elle a épousé papa, après une tournée particulièrement fructueuse. Elle en avait très envie, je m'en souviens.

Maintenant, j'avais les larmes aux yeux. Je n'avais strictement rien compris à ses explications embrouillées. Peu m'importait.

Il se leva, m'aida à soulever les toiles et à les poser sur un meuble où la lumière les mettait en valeur.

Puis il passa le bras autour de mes épaules et se pencha.

— Je savais que cela te donnerait une émotion, mon petit chat, mais il vaut quand même mieux que tu les aies. Si jamais il m'arrivait quelque chose, tu pourrais...

Je l'interrompis vivement :

— Mais, sapristi ! Tony, tu n'as pas à t'en faire comme cela pour moi. J'ai quelques revenus personnels qui me viennent de papa et les rentrées des disques de Janos, l'intérêt de ce qu'il avait mis en banque...

— C'est vrai, admit-il. Je suis un inquiet de nature, bien que je ne le paraisse pas. En tout cas, les tableaux ont beaucoup de valeur. C'est une garantie pour l'avenir.

— Oui, merci de t'en être occupé. Mais dis-moi, l'appartement de Natacha à Londres ?...

— Il ne faut pas y songer. Il a été vendu pour désintéresser les créanciers. Il était lourdement hypothéqué.

— Mais qu'a donc fait Natacha, toutes ces années où elle gagnait tant ?

— Je te l'ai déjà dit. Elle dépensait plus encore.

J'éprouvais comme une légère amertume. Je me disais, presque malgré moi : « Si j'avais été vraiment sa fille, elle se serait préoccupée d'assurer mon avenir. »

Il est vrai qu'elle m'avait donné l'appartement que j'occupais. Dieu me pardonne ces pensées si je les ai eues un instant.

Sur ces entrefaites, Jane vint chercher Antoine et,

tous deux, nous la suivîmes des yeux pendant qu'elle emportait le bébé en le serrant presque avec passion contre elle.

Je rencontrai les yeux attendris de Tony.

— Tu vois que l'apparence la plus froide peut cacher des trésors de tendresse. Jane retrouve une nouvelle jeunesse à cajoler ton fils. Il est bien gentil, ce petit.

— Oui, certainement, dis-je enfin mollement. C'est un bébé tellement gentil ! Il a toutes les qualités. Entre autres, celle de ne pas être rancunier vis-à-vis de sa mauvaise mère ! Mais il adore cette pauvre Jane, comme tu dis. Je m'étonne parfois de le voir caresser avec délices ses joues grises.

— Elle a beau avoir des traits sans grâce, il y découvre sans doute la lumière de l'amour désinté-ressé.

— Tu y crois beaucoup, toi, à l'amour désinté-ressé ?

J'avais tout à coup envie de savoir ce qu'il pensait réellement. Il se mit à rire.

— Qu'as-tu envie que je te dise ?

Puis, me lançant un regard de côté, il dit entre ses dents :

— Pas encore mûre pour entendre la réponse à cette question. Et puis j'ai encore la décence d'être modeste. Ou plutôt, lucide.

Cette petite scène me donna à réfléchir. Que voulait-il dire exactement ?

Je me souviens encore qu'à un moment nous nous levâmes et que nous passâmes sous le lustre garni d'un magnifique bouquet de gui.

Il s'arrêta, me prit par la taille.

— Sous le gui ? On s'embrasse, Cathy ? Tu ne crois pas ?

Interdite, je le regardai, méfiante. Il eut un petit rire ironique, se pencha et me baisa la joue sans précipitation, avec douceur, mais sans passion non plus. Brusquement, je me rappelai, avec une singulière lucidité, les quelques baisers qu'il m'avait donnés jadis pendant nos invraisemblables fiançailles, et j'en fus brusquement troublée.

Je reculai un bref instant, les joues en feu, puis, lui mettant les bras autour du cou, je le regardai avec un sourire qui était bien près des larmes.

— Merci pour tout, Tony !

En me haussant, je l'embrassai sur les deux joues. J'eus envie tout à coup de glisser jusqu'à ces lèvres au dessin net. Je le lâchai, les joues brûlantes. Il me regarda, impassible. Pourtant, je crus lire un durcissement au fond de son regard, un peu comme s'il m'en voulait. Mais, un instant plus tard, il me sourit.

— Merci, à mon tour, de toute la grâce que tu mets dans ma vie.

— Ce n'est pas grand-chose à côté de tout ce que tu as fait !

Son regard vacilla légèrement. Espérait-il quelque nouveau mouvement de ma part ?

Je me détournai, les yeux brouillés de larmes. Le salon bascula dans ce prisme étincelant. Il me sembla perdre ses dimensions, devenir infini. Et de nouveau, le miracle se reproduisit. Je revoyais tout à coup Janos et Natacha, immatériels mais réels dans le moindre détail. Mon mari avec cette force noble, un peu lourde, sa belle tête d'artiste, le feu de son regard. Elle, Natacha, vaporeuse et pâle, avec ses yeux clairs qui me hanteraient toute ma vie, la langueur, la sensualité de ses gestes et surtout, son sourire si fin, qui semblait toujours poser une question. Ils allaient l'un vers l'autre, les mains tendues, se rejoignant dans un geste de fraternel amour.

En réalité, cette vision ne dura qu'un instant. Je venais de la créer de toutes pièces. Cependant, elle me bouleversa jusqu'au fond du cœur.

Ils étaient mes morts, mes chers morts réunis dans ma tendresse. Nul ne pouvait les remplacer, jamais, jamais...

Tony sentit-il mon élan vers eux? Toujours est-il qu'il me lança un long regard inquisiteur, puis, avec un léger geste de la main, et un sourire indéfinissable, il sortit. Je restai seule à rêver devant le feu.

CHAPITRE IX

Les mois qui suivirent : grisaille.

Tout en veillant constamment sur nous, Tony était très souvent en voyage. Ses affaires ne semblaient pas brillantes.

A noter aussi le printemps et des sensations dont j'étais — et je suis encore — honteuse. Ce ciel plein d'allégresse, vibrant d'une lumière nouvelle et des piaillements des moineaux affairés, me mettait les larmes aux yeux. J'étais alors incapable d'analyser mes sensations, ne comprenant pas que c'était ma jeunesse qui remontait violemment à la surface. La nuit, dans la solitude de l'immense lit, il m'arrivait de penser aux étreintes de Janos. J'y avais trouvé surtout la joie de le rendre heureux, mais les souvenirs éveillaient en moi des bouffées de désir. Comment était-ce possible, alors qu'on ne pouvait aimer Janos que d'un amour pur, profond, inaltérable. Tout cela me plongeait dans de longues tristesses.

Et mon petit garçon ? Un beau bébé, sans problème.

Rien de spécial à noter sur l'été non plus, jusqu'à ce mois de juillet dont la fin est fatidique.

C'est alors que se situent ces petits faits qui me troublent tellement.

Le premier...

J'avais quitté mon île pour une de mes promenades solitaires. J'avais marché longtemps, jusqu'à Saint-Germain-des-Prés. Je finissais toujours par-là, comme fascinée malgré moi. Je regardais, amusée mais timide et ahurie, la multitude de gars et de filles qui arpentaient les trottoirs. Je les trouvais sympathiques, attirée sans doute par leur exubérance. J'aimais errer dans les ruelles. Je m'arrêtais à toutes les vitrines, je lisais aussi les menus qu'affichaient les petits restaurants aux noms colorés. J'entrais dans quelque salle d'exposition pour admirer les extravagances que, comme le disait Tony, quelques gogos se croient tenus de prôner. Mais par-ci, par-là, je trouvais de belles choses qui me ravissaient. Cela me rapprochait de Janos.

La fatigue commença à se faire sentir. C'était une journée pas trop chaude heureusement, fraîche même, mais j'avais beaucoup marché. Pour tout dire, j'avais mal aux pieds !

J'échouai au café des Deux-Magots, incapable d'un choix plus original.

Je ne sais pourquoi je pensais à Tony. S'il avait été là, il m'aurait sans doute emmenée souper quelque part, dans un de ces petits bistrots qu'il affectionnait, dans le quartier de la Huchette.

Tout à coup, je tressaillis devant ma tasse de thé.

Son nom venait de retentir derrière moi. Prononcé par une voix d'homme. Je n'osai me retourner.

— Mac Allan ? disait-il, non, je ne l'ai plus vu, mon vieux. Tu en as des nouvelles ? Je ne sais trop ce qui se passe depuis quelques mois. Il paraît qu'il a de gros soucis matériels.

Une voix grave répondit :

— Je me demande bien pourquoi... C'est un homme précis, actif, qui a du flair. Il a toujours eu les pieds sur terre. Je sais qu'il a perdu pas mal de temps à s'occuper de la veuve et du gosse de Ruhska...

— Possible, mais on dit qu'il y aurait une histoire de femme là-dessous.

— Note bien que c'est l'homme le plus discret que je connaisse. Il a une manière bien à lui d'éluder les questions. Un sourire fugitif, une réponse évasive et tu n'en sais pas plus qu'avant. Il a trouvé moyen, en tout cas, de se faire souffler l'affaire de la Carita par Reggionnani.

— Oui. Grosse perte pour lui, évidemment. On prétend que les ruptures de contrats le mettraient en sale posture. Il s'est vilainement engagé. Bah ! il retombera probablement sur ses pieds, un jour ou l'autre. Il s'occupait de la belle Natacha Bolstoi. Sa mort a dû être aussi une perte pour lui.

— Oui, il avait toujours organisé ses tournées. Quelle artiste incomparable ! Tu l'avais entendue, toi ?

— Une merveille, mon cher ! C'est un crime qu'une mort aussi stupide ait privé le monde d'une cantatrice de pareil rang.

— C'était peut-être la plus grande du siècle. Tiens, voilà Bouvier. Hé ! Bouvier ?

J'étais troublée. Entendre mentionner Natacha me mettait les larmes aux yeux. Mais ces ragots au sujet de Tony me troublaient davantage encore. J'avalai mon thé trop chaud et m'en allai à travers les rues, n'importe où. Le passé revenait en force, mais sur le chagrin de la mort de Natacha et de Janos se greffait un autre sentiment. Il faut que j'avoue ce qui se passait en moi à ce moment. Jamais je n'oublierais mon mari, mais il me déplaisait quand même d'entendre parler de Tony dans ces termes : « Une histoire de femme ! » C'était possible, pourtant : il était souvent en voyage. A ce sentiment se mêlait le souvenir désagréable de cette phrase : « Il a perdu pas mal de temps à s'occuper de la veuve et du gosse de Ruhska. » Mais si ses difficultés venaient d'une autre femme ? Cela changeait tout. Du moins, à mon point de vue. Et de m'interroger dans un grand effort d'honnêteté. « Tous ces mois passés, t'a-t-il jamais donné l'impression qu'il était encore amoureux de toi ? Au fond, non. Il a montré un dévouement inlassable, de la gentillesse, à sa manière un peu ironique, mais comme un grand ami, c'est tout. Oui, il est possible qu'il ait une, ou des femmes, dans sa vie. Après tout, pourquoi pas ? »

Et, en somme, cela ne m'enchantait pas. Je savais que Janos serait mon unique amour, mais je préférais penser que Tony ne vivait que pour nous ! Le pluriel me mettait la conscience à l'aise ! Pas très joli, peut-être, mais je me suis promis de dire la vérité.

Cela me troubla quelques jours d'une manière confuse, puis je n'y pensai plus.

Tony était parti pour l'Autriche depuis le début de juillet. « Je tiens à enlever cette affaire avec Zukor, m'avait-il dit. J'ai l'intention de vous emmener tous les trois à mon meeting des Macpherson. Nous pourrions déposer Antoine chez la respectable belle-sœur de Jane, dans le Devon, au bord de la mer. »

Lui parti, il vint un jour où je dus bien me résoudre à me débrouiller moi-même. Quand il s'absentait, Tony m'apportait une somme raisonnable pour nos dépenses immédiates. Jusqu'à présent, je menais une vie tellement retirée qu'elle avait généralement suffi. Ma toilette ? J'avais une garde-robe inépuisable qui datait du temps de Janos. Très adroite, je la modifiais et elle faisait très bien l'affaire. Il n'est pas difficile de transformer une robe longue en minijupe. Cette mode convenait à mes jambes longues. Il ne m'en fallait pas plus. Le regard approbateur de Tony me suffisait amplement. Il me semblait qu'avec Janos j'avais enterré une fois pour toutes ma véritable coquetterie.

Je me mis tout à coup en tête que mon fils, qui commençait tout juste à se tenir sur les jambes, avait besoin d'un nouveau costume et moi, d'un nouvel imperméable.

Après une séance mouvementée pour prendre les mesures du bébé qui se tortillait sans arrêt, je partis à pied jusqu'à la Cité pour emprunter le métro. Il faisait bon et chaud et je me sentis tout à coup très légère.

Ma banque se trouvait près de l'Opéra. Je n'avais

jamais mis les pieds dans un de ces lieux imposants. Quelle enfant j'étais en somme ! C'est toute rougissante que je m'adressai à l'huissier pourtant bien aimable.

Au guichet, je fus encore plus intimidée en stipulant que je venais retirer cinq cents francs. Je ne me rappelais plus, naturellement, le numéro de mon compte. Je précisai :

— C'est M. Mac Allan qui a ma procuration. Il retire généralement de l'argent pour moi.

L'employé s'empressa :

— Je vais chercher mon collègue. Il connaît certainement le numéro. C'est habituellement lui qui s'occupe de M. Mac Allan, madame.

Le collègue repêché dans le fond de la salle arriva avec un sourire aimable.

— Madame Ruhska ? Oui, oui, en effet... C'est le 70220. C'est généralement M. Mac Allan qui...

— Je sais... mais il est en voyage en ce moment. Je voudrais retirer la somme de cinq cents francs et...

— Je vous apporte votre extrait de compte.

Il réapparut bientôt, posa le feuillet devant moi et se pencha d'un air mystérieux pour m'assurer le grand secret sans doute. Il chuchota :

— Votre compte est inférieur à cette somme, madame, vous pouvez le constater. Il ne sera réapprovisionné que le 27 courant, comme vous le savez.

Je ne savais rien du tout. Et, stupéfaite, je contemplais le papier.

— Comment !... Il n'y a pas plus ?

Déférent, mais très sûr de lui, l'employé hocha la tête.

— Il faut croire que non, madame.

Je persistai :

— Mais il doit y avoir davantage ! Les rentrées des disques de mon mari...

Il me regarda attentivement un court instant, hésita :

— Il faudra demander à M. Mac Allan qui doit être au courant puisque c'est lui qui a votre procuration.

A ce moment-là, je n'ai pas eu de soupçon, bien que je fusse surprise, très surprise. Consternée aussi. Et très gênée.

— Mais qu'à cela ne tienne, madame, nous allons, évidemment, vous verser la somme.

Je repartis, l'argent dans mon portefeuille. L'impression désagréable passa. A ce moment, je n'ai pas eu la moindre arrière-pensée, si ce n'est celle de me dire que Tony avait raison de nous prêcher l'économie. Mes rentrées devaient être très irrégulières.

J'achetai avec un plaisir, que je n'aurais pas admis quelques mois plus tôt, un très joli manteau de pluie. Et, pour Antoine, quelques petits objets, qui firent beaucoup plus la joie de Jane que la sienne.

Il me semble inconcevable à présent, de n'avoir pas attaché plus d'importance à ces deux faits. C'est comme cela pourtant.

J'y ai vaguement repensé quand Tony rentra d'Autriche très joyeux d'avoir obtenu ce qu'il espérait. Il avait organisé de main de maître notre départ pour l'Angleterre. Quand nous descendîmes le monceau de bagages du bébé, je fus stupéfaite.

— Comment, tu n'as plus ton Alfa ?

— Non, dit-il, les bras chargés du parc du petit, tu vois, j'ai fini par trouver qu'on ne peut y mettre assez de monde, ma belle bagnole était une voiture d'égoïste. J'ai préféré cette bonne vieille Mercedes, solide, puissante, increvable et capable de trimbaler toute une famille.

Et il me lança un coup d'œil en coin.

C'était, en effet, une robuste voiture, mais pas neuve, bien certainement. Et à ce moment, je me suis fugitivement souvenue de la conversation que j'avais entendue à Saint-Germain-des-Prés. Tony en était-il là ?

Mais déjà, l'air perplexe, il me demandait :

— Comment, diable, vais-je fourrer tout ça ! Ah ! j'ai bien fait de changer de bagnole ! Croirait-on qu'un si petit marmot puisse avoir besoin de tant de choses !

Je passe sur ce départ tumultueux, sur Jane, en chapeau correct et gants, ravie de ce voyage, sur Antoine et ses grands yeux innocents dans les bras de son parrain, contemplant l'immensité de la mer et aussi, sur une espèce de surexcitation joyeuse que je ne voulais pas admettre. Tony était un compagnon de voyage charmant. Il avait parfaitement tout prévu et un temps clair et chaud était de la partie.

J'ai hâte d'en arriver à ce qui compte vraiment. Ce qui s'est passé à Newtonmore.

Nous déposâmes mon fils chez la belle-sœur de Jane, dans un ravissant coin du Devon, et nous partîmes pour l'Ecosse le lendemain matin.

Nous avions suivi les bords sinueux et grandioses

du Loch Lomond, un véritable jardin par la grâce de sa végétation, puis nous étions entrés dans ce que Tony appelait « ses Highlands » avec une émotion que je lui avais rarement vue.

— Regarde. Ce sont les contreforts de Glencoe que tu vois là. Sinistres, n'est-ce pas ? Mais quelle ligne saisissante ! Un des endroits les plus tragiques du pays. C'est ça, l'Ecosse, tour à tour aride, sévère, ou une débauche folle d'arbres, de chutes d'eau, de bosquets, de fleurs. Tu verras, surtout sur la côte ouest que je te montrerai un de ces jours.

Le temps avait été variable toute la journée, mais Tony, d'un geste vaste, écarta les nuages.

— Oui, il y en a ! Qu'importe ! C'est la beauté de la région, crois-moi. Le très beau temps, ça ne va pas par ici ! La brume est trop lumineuse et elle dévore les contours et les couleurs des montagnes. Tandis que dans ces mouvements du ciel, tu as des échappées de soleil — mais oui, il y en a souvent — qui donnent au paysage toute sa beauté.

Son enthousiasme me faisait rire. Pourtant, il avait raison. Nous avions traversé Fort-William avec sa rue unique, grouillante de monde, de magasins serrés les uns contre les autres, une ville qui sent un peu son western, haute en couleur, avec à chaque pas, pendus aux échoppes, les chauds tartans du pays qui ondulent au vent.

Tony avait raison, le ciel était magnifique, mouvant. Les nuages couraient, créant de nouveaux paysages, parfois tragiques, parfois radieux. Il y avait de l'eau partout. Les reflets des lochs, les changements de lumière sur les flancs des coteaux et

surtout, maintenant que nous avions laissé le sombre
Glencoe derrière nous, une végétation exubérante.
Sur les bords de la route, des fleurs éclatantes
venaient à nous.

— Ah ! il est beau, mon pays ! s'exclama Tony.

Je le regardais en souriant. Malgré ses tempes
argentées, il était comme un grand gosse joyeux de
montrer ses trésors.

— A présent, dit Tony, nous entrons dans une
région plus aimable. Vois, les montagnes commen-
cent à s'adoucir. C'est mon pays. Ma mère est
originaire de Kingussie. C'est d'ailleurs le fief des
MacPherson.

— Et c'est parce que tu as du sang des MacPherson que tu participes à ce rallye ?

— Oui, je te l'ai dit, par ma mère. C'est une
réunion beaucoup plus intime que la plupart de celles
qu'on organise dans tout le pays à cette époque. La
marche des MacPherson est célèbre. C'est peut-être
moins éclatant que beaucoup d'autres manifestations
mais c'est très beau quand même. Tu verras !

Inutile de le nier. Jamais je ne m'étais sentie aussi
simplement heureuse depuis la mort de Janos. Par
moments fulgurants, je pensais à lui et lui demandais
secrètement pardon d'être aussi joyeuse.

Nous roulions à l'allure raisonnable que deman-
dent les routes des Highlands. Tony, sans tourner la
tête, me dit tout à coup :

— Contente, mon petit chat ?

Je ne pus m'empêcher de mettre la main sur la
sienne, brune, solide mais délicate, qui tenait le
volant. Je dis de tout cœur :

— Oui, merci de m'avoir emmenée ! C'est une idée merveilleuse.

— Jane était contente de nous voir partir, je crois.

Il y avait une légère intonation dans sa voix qui m'alerta un bref instant. Oui, Jane avait eu une curieuse expression dans les yeux en nous disant au revoir. Il est vrai qu'en Angleterre, depuis des temps immémoriaux, il est admis qu'un homme invite une femme, ou voyage avec elle, sans que, pour autant, ils soient en relations intimes. Tony était trop jeune, trop séduisant pour être classé parmi les pères nobles. Alors que je l'avais trouvé vieilli peu après la mort de Janos, tendu, nerveux, je le voyais de jour en jour reprendre une nouvelle jeunesse. La vie était-elle donc si forte, si puissante, pour lui comme pour moi ? Ou aimerait-il quelqu'un d'autre ? Si je me le demandais, c'était fort hypocritement, d'ailleurs. Je me disais : « Pourquoi, alors, ferait-il ce voyage avec moi ? »

Les villages sont rares dans les Highlands. Mais cette région plus riante découvrait à tout instant quelque petite église à tour carrée, quelque ferme plantée au milieu des pâturages. Bien entendu, les moutons étaient rois. Il n'était pas rare de voir une brebis couchée sur la route, un agneau à ses côtés.

Le soleil était encore haut quand nous arrivâmes à Kingussie, une localité qui se contente d'une seule grand-rue, coupée de chemins qui se perdent immédiatement dans la campagne ou sur les coteaux.

Tony arrêta la voiture avec un large geste devant une imposante bâtisse en pierre grise du pays.

— Et voilà, dit-il avec superbe, le Gordon Hôtel.

L'endroit le plus sélect du patelin. Notre chef y réside certainement.

Je m'agitai :

— Mon Dieu, pourquoi as-tu choisi le plus chic ? Et puis, il m'intimide, ton laird...

Je rencontrai ses yeux souriants, très gentils.

— Je voulais te faire honneur, mon petit. Et puis, je serai content que tu rencontres un des plus grands noms d'Ecosse. William, Allan MacPherson of Clunie and Blairgowrie. C'est un type charmant. Je le soupçonne d'être dans une misère noire, car le château ancestral a été vendu l'année dernière. William, Allan MacPherson of Cunie and Blairgowrie !... qu'est-ce que tu en dis !

— Que tu me l'as déjà dit cent fois !

Je ris de bon cœur à le voir si déconfit. C'était vrai qu'il m'avait déjà longuement parlé de sa réunion annuelle. Il répondit à mon rire, ses yeux bleus pétillants de plaisir.

— C'est bien possible ! Tu ne peux croire quelle joie j'éprouve de retrouver des tas de vieux copains et d'en saluer d'autres qui viennent de tous les coins de la terre. C'est assez touchant.

— Très... Et si je n'étais pas si timide, je me réjouirais.

— Ne t'inquiète pas. Les MacPherson sont les gens les moins intimidants du monde. Allons, viens. Nos chambres sont retenues.

Je mis timidement la main sur son bras.

— Tony ! Qu'est-ce que tous ces gens vont penser ? Tu leur as dit que je suis la veuve de Janos Rushka ?

Je suis certaine qu'un court instant il a été désarçonné. Tout en manœuvrant pour entrer la voiture dans le parking de l'hôtel, il répondit très doucement :

— A qui veux-tu que j'en aie eu l'occasion avant aujourd'hui ? Mais je ne manquerai pas de le dire à ceux que je connais, si cela te fait plaisir.

Je luttai contre des larmes subites.

— Il ne faut pas m'en vouloir, Tony, mais tu comprends, quand on a connu... un tel homme.

Il m'interrompit en donnant un coup de freins un peu sauvage.

— Je sais, je sais... On ne peut pas l'oublier !

Sa voix s'était métallisée. Il avala durement sa salive. Alors j'ai pensé : « C'est certain ! Il m'aime donc encore, ah ! pauvre Tony ! » Et cette pensée égoïste me fut douce.

Mais, un instant plus tard, il semblait avoir repris son humeur joyeuse.

Il m'aida à descendre et commença à sortir les bagages tandis qu'un groom se précipitait.

— Viens. Tu as certainement envie de te rafraîchir un peu. Je t'ai retenu une chambre avec salle de bains.

Je protestai de nouveau avec énergie.

— Tu as fait des folies ! Tu nous prêches l'économie, puis toi...

Il me fit une grimace.

— Tu apprendras avec le temps qu'un MacPherson est capable de tout quand il se retrouve dans son pays ! Ne complique pas les choses, mon petit !

Il me sembla que son français, toujours impeccable, était davantage teinté de son accent natif, maintenant qu'il se retrouvait chez lui. Cela m'amusa.

La chambre était magnifique. Tony avait certainement fait des folies. Elle se trouvait à bonne distance de la sienne, qui était dans une autre aile. Faut-il être honnête? J'en fus un peu déçue. Il ne m'eût pas déplu d'ajouter à ma surexcitation de le savoir dangereusement près de moi!

Nous convînmes qu'il viendrait me chercher à huit heures. Je ferais connaissance avec quelques-uns des MacPherson, mais les festivités du clan ne commençaient que le lendemain.

Ce soir, on s'habillait en « petit dîner ». J'avais emporté deux robes qui dataient de l'époque de Janos.

Une soudaine vague de chagrin s'abattit sur moi quand je les sortis de la valise. Elles étaient là, sur le lit, molles.

Il me semblait tout à coup qu'elles étaient l'image de mon existence vidée de sa substance. Je tombai à genoux à côté du lit, la tête dans les plis de la robe que j'avais mise pour le dernier concert de Janos. Je restai longtemps, la gorge nouée, les yeux secs, étouffée par une brusque flambée de douleur et de remords. Comment pouvais-je être si extraordinairement joyeuse quand j'avais perdu un homme tel que mon mari? Etait-ce mal? J'ai peine, même maintenant, à démêler ce qui se passait en moi. J'essayai d'être lucide. J'avais vécu trop en recluse, à croire que Tony avait voulu me séquestrer! Mais non, il avait été un ami fidèle, qui m'avait parfois bien agacée ! Un ami ? Je ne voulais pas approfondir, pas ce soir, je voulais... Ah ! qu'est-ce que je voulais ?

Je me relevai. J'avais compris en tout cas que j'admettais la mort de mon mari. La vie serait la plus forte.

Avec un soupir, je choisis la robe du premier concert. Elle était très jolie, d'un tissu moderne à grands ramages, qui allait à ma taille élancée. Je restai à examiner avec un nouvel intérêt la femme qui me regardait dans le miroir. Pas mal, vraiment ! Tony serait-il impressionné ?

Il frappa au même instant. Je ne pus résister à la tentation de l'éblouir du premier coup.

Je ris encore en pensant à la pose avantageuse que je pris, appuyée à la cheminée.

La porte s'ouvrit. Et une exclamation nous échappa à tous deux.

— Que tu es ravissante dans cette robe !

Et la mienne :

— Tony !... Tu es sensationnel avec ce kilt ! Tu ne m'avais pas dit que tu le mettrais ce soir !

— Je voulais t'en faire la surprise, dit-il candidement.

Il était de ces hommes dont l'élégance s'allie à la désinvolture. Fin, spirituel et viril. Sa veste de smoking blanche, son visage fin tranchaient admirablement sur le chatoiement discret du tartan des MacPherson.

Je tournais autour de lui. Et il avait pris un air de naïf orgueil.

— Tu aimes bien ? Tu trouves que ça me va ?

D'ailleurs, quand bien même cela ne m'irait pas, je ne peux me dispenser de mettre mon kilt.

— Tu sais très bien que cela te va admirablement, Tony. Marche donc un peu... Oh! ce que tu peux être chic! Tu es tout juste ce qu'il faut, ni trop maigre, ni trop fort. Qu'est-ce que c'est que ça? Un couteau!...

— Un « skin-deer », un poignard qui à l'origine servait à dépouiller les daims.

— Tu es splendide!

— N'en jette plus. Tu ne me laisses pas le temps de t'admirer, toi.

— Oh! moi, c'est une robe comme toutes les robes, mais ton kilt! Quand il balance comme ça, je suis sûre que toutes les Ecossaises sont folles de toi!

Il prit un air avantageux.

— Bah! Elles sont habituées à les voir. Tout bon Ecossais le met chez lui en tout cas.

— J'aime les couleurs discrètes de ces bruns, ces gris, ces rouges et jaunes.

— C'est notre tartan du soir. Le jour, le kilt est rouge, bleu et vert.

Il ajouta d'un ton taquin :

— Si j'avais su que tu serais si éblouie, j'aurais mis mon kilt depuis toujours!... Qu'est-ce que tu diras demain quand tu nous verras! Tous les gars du clan auront leur veste de velours, leur jabot de dentelle, etc. Et moi...

Il se mit à rire, me saisit par les deux mains, me regardant des pieds à la tête.

— Ce que tu peux être fine et aérienne dans cette robe! Ne rougis donc pas.

Je m'assombris malgré moi.

— C'est celle que j'avais pour le premier concert de Janos à Paris.

Cela coupa un instant son enthousiasme. Puis il hocha la tête, les yeux amincis. Je sentais ce regard d'homme m'envelopper. C'était à la fois agréable et troublant.

Il ne me lâchait pas. « Comment ai-je pu en douter ? pensais-je, oui, il m'aime encore ! »

Cet étrange petit démon me poussait toujours.

— Ne parlons plus de ma robe. Recule encore, que j'admire. Je ne sais pourquoi, j'imaginais que les kilts étaient plus courts.

— La longueur, ma chère, se calcule comme ceci.

Et il tomba à genoux devant moi, le buste redressé.

— Nos braves tailleurs font mettre leurs clients à genoux pour mesurer la hauteur du kilt depuis la taille jusqu'au sol. Cela donne, comme tu le vois, le creux du genou, bien exactement. C'est réglementaire.

Il levait la tête vers moi. Il me vint soudain la pensée que j'avais à mes pieds un chevalier sans peur et sans reproches, qui m'avait voué sa vie.

Je lui tendis les mains, sentant que je rougissais. Ses yeux étaient singulièrement éloquents. Trop ! Le trac me revint tout à coup. Je m'efforçai à la légèreté.

— En tout cas, c'est très bien ainsi... J'ai faim, Tony, allons manger ! Le saumon dont tu m'as parlé me tente.

Ses yeux se voilèrent un instant. Il me lâcha les mains avec un rire léger.

— Hé, Mac Allan ? De retour parmi nous ? Et qui est la jeune lady ?

Aussi simple que cela, Tony me prit par la main. A une table, un homme se levait, encore jeune, le front un peu dégarni, d'un blond typiquement écossais, les yeux bleus très clairs, très directs.

Mon compagnon répondit en anglais :

— Cathy, puis-je te présenter notre laird, notre « Chief » du clan, William MacPherson ? Il ajouta en riant : sors ton plus bel anglais, tu lui feras plaisir ! Mon cher, voici Mrs Janos Ruhska.

— Janos Ruhska ? dit-il de sa voix cultivée et douce. Oh ! Madame, est-il possible que vous soyez...

Je répondis, très émue :

— Oui. C'était lui, monsieur.

Il y eut un moment de silence à la table. Très court. Puis le « chief » dit :

— Cet incomparable artiste ! Quelle immense perte pour le monde !

Tony me regarda un bref instant et je pensai avec une soudaine pointe de mauvaise joie : « Tu vois ? Que peux-tu espérer, Tony ? »

Pourquoi ce besoin subit de le blesser parfois ?

Il détourna les yeux, apparemment imperturbable, échangea encore quelques propos aimables avec les deux dames qui me saluaient avec cette effusion écossaise si charmante. On nous appelait de partout, et moi, ahurie, je me voyais présenter MacPherson sur MacPherson.

Enfin, nous fûmes assis à notre table, face à face.

Toute rougissante encore d'avoir plongé dans le clan, je murmurai :

— Seigneur, Tony, comment le facteur s'y retrouve-t-il dans ce pays ? Tous ces MacPherson !...

— Cela s'accomplit par la grâce du Seigneur, répondit-il avec un clin d'œil.

Il avait repris son air satisfait.

William Allan Macpherson of Clunie and Blairgowrie — cela m'amusait de prononcer son nom prestigieux — nous invita, après le dîner, à prendre le café dans l'immense hall confortable. Tout le monde s'interpellait à travers la salle. Il y avait un Archiè, le ventre moulé dans son kilt, la jambe courte, grasse et arquée, qui faisait la joie de tous. Jamais je n'ai entendu un rire plus communicatif. Tony rayonnait. Le couple que nous formions était accepté avec la plus grande simplicité par tous. On ne se posait pas de questions. Tony était un bon garçon, c'était clair pour eux. Et je leur plaisais malgré ma timidité : sans doute portais-je aussi l'auréole de mon malheur.

Tout le monde se réjouissait des festivités qui s'ouvriraient le lendemain pour l'inauguration du musée du clan.

J'étais lasse cependant après notre longue journée d'auto. Tony s'en aperçut et m'offrit de me reconduire à ma chambre. Et je sortis, très consciente d'être la femme la plus élégante de l'assemblée.

A ma porte, il me prit la main, me la baisa doucement en me souhaitant bonne nuit.

— Je retourne auprès d'eux, dit-il en me regardant avec intention. Cela vaut mieux.

Bien sûr, cela valait mieux. Je ne m'en sentis pas

moins très seule quand je me retrouvai plantée devant le haut miroir. Ah ! Janos, pourquoi m'avait-il quittée ! Comme j'aurais aimé être avec lui — et Tony, d'ailleurs — dans ce sympathique milieu, ce pays si émouvant.

Ce tribut payé à mon cher mort, je me dépêchai de me glisser dans mon lit. Le sommeil et une étrange allégresse me prirent en même temps. Et je dormis paisiblement jusqu'au matin.

Après un breakfast du tonnerre, comme disait Tony, nous partîmes, lui en veste de tweed sur son kilt de jour, moi dans un de mes jolis ensembles, explorer le simple patelin. Il était surtout embelli par son cadre de lointaines montagnes d'un mauve caractéristique. Une quantité incroyable de Macpherson nous avait cependant prédit qu'il ferait beau pour les jeux. Ils semblaient vraiment commander aux éléments avec l'énergie, la robustesse qui caractérisent les gens de la région.

Nous marchions d'un bon pas, enveloppés dans nos imperméables, et jamais mon compagnon n'avait été aussi prolixe.

L'inauguration du musée me plut par son côté folklorique. La réunion se tenait dans une modeste cour et, bien entendu, sous la pluie. C'était une floraison de Macpherson de tous les sexes, de tous les âges, de parapluies et de chapeaux à fleurs. Tous les hommes étaient en kilt aux couleurs du clan, certains de grande allure. Malgré le crachin, tout était coloré et lumineux. Je ne cessais de photographier.

Du musée dûment inauguré et visité, tout le monde s'égailla pour se retrouver à un thé typiquement britannique. Car si les Ecossais grommellent souvent au sujet de leurs maîtres du sud, ils n'en ont pas moins adopté complètement leurs mœurs.

Nous nous promenâmes sous la pluie avec la plus belle grande sérénité. Tony était persuadé, comme tous les Macpherson, qu'il ferait très beau le lendemain. A tel point que je finis par le croire.

Je le retrouvais tel que j'aimais l'avoir à mes côtés. Plein de ces attentions si agréables à une femme, de ce souci constant de mon confort, de cette admiration discrète et en même temps amicale. Il n'y avait pas de problème troublant cet après-midi-là. Il y avait seulement un homme qui montrait avec orgueil le pays de son enfance à quelqu'un qu'il aimait beaucoup.

CHAPITRE X

Nous rentrâmes à l'hôtel vers six heures, car la soirée commençait assez tôt et je tenais à me reposer avant de m'occuper de ma toilette. Le miroir renvoya mon visage animé comme il ne l'avait jamais été. Je me regardai longuement, scrutant cette frimousse qui avait l'air de revivre soudain, et je me dis que je devais beaucoup à Tony et que son affection était un bien dont j'aurais peine à me passer.

Je retrouvai Tony dans le hall. Quel cavalier ! Quelle allure il avait dans son kilt beige, rouge, blanc et brun. Il portait une veste de velours noir et le jabot de lingerie mettait en valeur sa tête fine et le feu de ses yeux bleus. Un bel homme élégant et racé. J'étais fière de faire mon entrée avec lui. Sur le seuil de l'immense salle, le « chief » accueillait ses invités ; sa femme mince et très jeune dans une robe tubulaire aux couleurs des Macpherson, l'écharpe du clan sur l'épaule, le secondait avec le chairman. « Tradition, tradition ! » me souffla Tony en me conduisant à une des tables basses entourées de vastes fauteuils.

Je m'amusais de constater que c'étaient les hommes qui avaient la vedette avec leur somptueux

costume. Il y avait un orchestre de bonne volonté,
plein d'animation. Quand il préluda pour la première
danse que William Allan Macpherson ouvrit avec
une ravissante créature en noir dont l'écharpe de soie
était très ancienne, toute la salle se leva. Il y avait de
tout dans cette assemblée sans complexes ; jeunes,
vieux, enfants charmants dûment ornés des couleurs
du clan à l'épaule. Tout ce monde se mit à danser
avec une visible allégresse. Tony m'invita immédiatement. Je n'eus qu'un remords fugitif pour le passé et
me laissai aller dans ses bras.

Ah ! mon pauvre Janos, j'avoue — et j'ai le cœur
déchiré en l'écrivant — que je n'ai plus pensé à lui au
cours de cette première danse. Je me sentais si bien,
si protégée dans les bras de Tony. Il émanait de lui
une indescriptible sensation de force retenue, de
chaleur. Tony m'entraîna, me dirigea dans des figu-
res tellement compliquées que ce n'était qu'à la
dernière que je commençais à comprendre la première. Je passais mon temps à me retrouver devant
quelque nouveau cavalier ou cavalière. Mais tous y
mettaient tant de bonne humeur, de gentillesse, qu'il
y avait toujours une dame joyeuse ou un kilt pour me
remettre dans le droit chemin. Et je finissais là où il
fallait.

A bout de souffle, je m'effondrai. Tony, riant, à
côté de moi. Nous regardions sans nous lasser le jeu
animé de ces hommes, lançant les jambes sans
discontinuer, changeant de vis-à-vis, tournant les uns
autour des autres.

Il y avait entre nous comme une complicité heureuse. Je me sentais bien, gaie, extraordinairement

contente. C'était sans doute les Macpherson qui nous communiquaient leur atmosphère, sans complications. Ces gens se réjouissaient avec une totale simplicité. Des vieillards aux jambes d'insectes, révélées par les beaux kilts, sautillaient avec de petites filles aux cheveux volants. Des couples ne faisaient aucun mystère de leur amour mais la tenue, malgré les rasades de whisky, demeurait correcte. Seul le rire homérique du joyeux Archie résonnait un peu incongru.

Pourtant, tout en parlant à ses amis retrouvés, en dansant avec la femme du « chief » ou quelque jeune fille, Tony ne manquait pas de se préoccuper de moi.

Un banquet monstre où dominaient le saumon et les fraises du pays, plus tardives que les nôtres, réunit tout le monde par petites tables.

Puis les danses reprirent, si endiablées que je n'avais plus de souffle en retombant dans mon fauteuil. Tony se pencha, me prit la main :

— Ça va ?

Il ne dit rien de plus, mais ses yeux parlaient. Je lui souris.

— Oui, ça va très bien. Comme je me suis amusée ! C'est dommage que cela doive finir !

— Que veux-tu, les Mac sont des gens prévoyants. Ils se réservent pour les jeux de demain.

Je ne compris pas ce que le haut-parleur annonça au même moment. Tony se mit debout, me reprit par les deux mains.

— Allons, courage !

— Qu'est-ce qu'on fait maintenant ?

— Très boy-scout ! Le fameux et candide : « Ce n'est qu'un au revoir ! »

Plus tard, dans le couloir, Tony s'arrêta comme je me détournais pour entrer dans ma chambre.

— Cela t'a plu, Cathy ?

Je répondis spontanément :

— Tellement, tellement. Ils sont si sympathiques.

— Tu comprends maintenant que, bien qu'ayant parcouru le monde entier, je revienne toujours ici avec le même plaisir ?

— Oui, je le comprends. Très bien. Il y a quelque chose de... je cherche le mot, Tony... De pur, d'élémentaire, je crois, dans ce pays et ses habitants.

Je crus qu'il allait parler encore, j'eus un instant de trac. J'étais très émotive ces jours-là. Peut-être parce que j'avais réappris à rire. Je retirai doucement mes mains des siennes.

L'impression passa. Il se mit à rire.

— Oh ! tu sais... les Ecossais ne sont pas de petits anges. Leur histoire est particulièrement fournie en horreurs à te geler le sang, mais aussi, il faut le dire, ils vivent dans un pays rude, un climat parfois cruel... Ils mènent une lutte constante contre les éléments et... contre leurs protecteurs du sud.

— C'est possible, mais je les aime. Bonsoir, Tony. Merci pour tout.

J'eus la soudaine envie de me dresser et de baiser cette joue marquée d'un pli romantique. Il avait l'air bien jeune ce soir ! Je n'osai pas. Il aurait pu se méprendre.

La porte refermée, j'allai au tiroir et en retirai la photo de Janos que j'y avais déposée avec quelques souvenirs. Elle me regardait avec la même expression grave, mais sans colère. Il ne m'en voulait pas d'avoir été heureuse pour la première fois depuis sa disparition. La pensée de Tony vint s'interposer. Presque avec rage, je ne pus m'empêcher de crier à l'image immobile : « Non, non !... jamais je ne pourrai t'oublier. Jamais ! Pas un homme comme toi ! »

Et jetée en travers du lit, je pressai la photo glacée contre ma joue, je roulais la tête sur elle, étendis les bras, les yeux fermés. Jamais avec une telle force, le besoin de la présence de mon mari ne m'avait ainsi secouée. Je réalisai que c'était surtout du désir... J'étais trop jeune, voilà ! N'étais-je donc pas capable d'aimer éternellement un homme ?

Le lendemain, jour de l'ouverture des jeux de Newtonmore, le temps était splendide, le ciel bleu traversé de petits nuages joyeux, voguant sereinement pour aller se perdre derrière le cadre immense des montagnes.

Je me sentais fraîche et détendue, dans une robe mini qui avait l'approbation de Tony, à l'aise dans son kilt rouge, bleu et vert, d'un très joli dessin. Sa veste de tweed était ouverte sur une chemise de sport.

Arrivés à l'immense plaine déjà envahie par des masses de touristes, il me quitta pour aller rejoindre les Macpherson. Ils se rassemblaient au-delà d'un pont de campagne, modeste par ses dimensions mais grand par la tradition du clan. Enjambant une petite rivière claire comme toutes celles du pays, il se détachait de la grandiose ceinture de montagnes qui, ce jour-là, éclataient de tous les bleus et les mauves de la création.

Depuis des siècles, tous les hommes, ayant du sang des Macpherson dans les veines, se réunissent annuellement pour descendre la route par ce pont et inaugurer les jeux.

Et tout le monde de les attendre avec une fiévreuse impatience. Moi, comme les autres, j'étais au bord de la route, armée de ma caméra.

La police de Glasgow qui prêtait son concours à la fête, ouvrait la marche et défilait en grande pompe : kilt foncé, lourd tartan écarlate jeté sur l'épaule, immense bonnet à poils, guêtres d'un blanc immaculé. Les hommes brandissaient leurs cornemuses en s'époumonnant consciencieusement, leurs honnêtes visages écossais aussi rouges que leurs tartans.

La foule applaudissait, joyeuse. Moi, comme les autres, impatiente de retrouver parmi les Macpherson, la silhouette de Tony.

Il passa en me faisant un clin d'œil bien à sa façon. Il était splendide et je décidai intérieurement qu'il était le plus beau de la troupe.

Touchants et candides, deux tout petits Mac fermaient la marche à la main de leur grand-père, la plume plantée dans le béret.

Tout le cortège défila sur la grande plaine au son lancinant des cornemuses. Un peu plus tard, aidé par des haut-parleurs plus convaincants que mélodieux, le « chief » ouvrit solennellement les jeux.

Tony me rejoignit aussi vite qu'il le put. Je le vis arriver avec satisfaction. Il avait déjà bruni pendant ces quelques jours de voyage et ses yeux bleus cherchaient les miens.

La main dans la main, nous allâmes d'un bout à l'autre du champ derrière ceux, plus paresseux, qui étaient assis dans l'herbe, dans le plus agréable désordre.

Je souris à Tony.

Il se pencha vers moi :

— Ça t'amuse ?

— Je te crois ! Comme les gens ont l'air heureux ! C'est ce qui me frappe le plus dans ce pays : la simplicité. Et aussi une espèce de bienveillance pour son prochain, de souci de la liberté d'autrui.

Il se rengorgea.

— Les Ecossais, ma chère ! Tiens, allons voir lancer le marteau.

Les jeux se déroulaient en même temps dans tous les coins de la plaine. On voyait galoper des groupes de jeunes filles ou de garçons en short, soutenus par les hurlements des spectateurs. D'autres sautaient en longueur, d'autres encore se battaient à l'épée. Un grand gars en tricot de corps, kilt agité, tournoyait et lançait un marteau. Sur une estrade, des fillettes charmantes dans leurs kilts colorés, en chaussons de danse, mêlaient leurs jambettes dans des danses endiablées. A l'autre extrémité du champ, le concours de cornemuse battait son plein. L'un après l'autre, de grands diables de Highlanders montaient sur l'estrade et avançaient à longs pas glissés et lents, tandis qu'ils remplissaient l'air de leur plaintive mélodie.

Je m'assis dans l'herbe comme tout le monde,

tandis que Tony allait me chercher une crème glacée.
Je le regardai partir. Comment définir ce qui se
passait en moi ? J'avais plaisir à admirer cette allure
qui n'appartenait qu'à lui. Y avait-il une véritable
profondeur sous cet aspect serein, cette santé qui lui
conservait une grande jeunesse, ce sourire parfois si
gentiment ironique. Jamais rien de dur, ni de mépri-
sant, semblait-il, chez Tony ! Le meilleur, le plus
estimable des amis, même s'il m'avait parfois agacée.

En tout cas, j'étais ce jour-là, parfaitement heureuse avec lui. En somme, il avait ce que mon bien-
aimé Janos n'avait pas : une approche joyeuse,
simple de la vie. Mais pas, naturellement, sa vibrante
personnalité.

J'aime m'attarder sur les sensations si fraîches de
cette belle journée. Nous passâmes, après un excel-
lent dîner, la soirée en compagnie du « chief » et de
sa famille. C'étaient des adieux des Macpherson
venus de tous les coins du monde. On les appelait les
uns après les autres sous les applaudissements. Tony
et moi-même en eûmes notre part. Puis ce furent des
chants charmants, sans accompagnement. Tous y
prenaient un tel plaisir qu'on ne pouvait que les
écouter religieusement.

Je tombais de sommeil quand ce fut terminé. Un
dernier au revoir et je me retrouvai à la porte de ma
chambre.

— Tu verras, me dit Tony en me retenant un
instant, demain je te montrerai les véritables
Highlands dans toute leur sauvage grandeur. Ceci,
c'est l'Ecosse aimable, ce sont les Mac, ce sont mes

souvenirs. Mais pas l'âme profonde et déchirée parfois de notre pays. Dors bien, mon petit.

Ai-je été un peu déçue parce que sa main quittait la mienne tout simplement ? Je n'en sais rien. Je crois pourtant que j'avais très peur d'autre chose. Je ne sais pas...

Nous approchons de ce qui devient mon problème. Et cela m'agite tellement que j'ai peine à écrire calmement, objectivement.

Nous étions sur la route du Loch Ness. La charmante région de Newtonmore était loin derrière nous.

Nous avions visité, la veille, le château ancestral perché dans un endroit sauvage des environs de Newtonmore. Il appartenait à présent à un très charmant gentleman qui n'avait pas la moindre goutte de sang des Macpherson, mais un solide compte en banque. Il avait donné aux membres du clan l'autorisation de se promener dans le très beau parc. Non loin de là, les plus courageux et les plus enragés avaient grimpé jusqu'aux cavernes célèbres.

Puis on s'était serré les mains et promis de se revoir. Le clan semblait m'avoir adoptée d'une manière qui me touchait.

En partant, nous avions acheté des provisions à Kingussie et nous comptions pique-niquer en route du côté de l'ouest. Le temps était généreux. Tout s'annonçait bien.

Nous arrivâmes à Fort Augustus, charmant petit patelin à l'extrémité sud du prestigieux Loch Ness. Une abbaye se cachait dans les arbres. De là, on

voyait briller l'eau mauve dans l'immense vallée
entourée de cimes au dessin vigoureux, encapuchon-
nées par une légère brume.

— Quarante kilomètres de longueur, mon petit,
m'expliqua Tony et par endroits, une profondeur de
près de trois cents mètres.

— Trois cents mètres !... C'est là que niche le
monstre ? Tu y crois, toi, au monstre ?

Il conduisait en pleine décontraction, les mains
molles sur le volant, un sourire aux lèvres. Il hocha la
tête.

— Tout bon Ecossais se doit d'y croire. Je t'assure
qu'il y a des gens dignes de foi qui l'ont aperçu.
Comme sur les cartes postales : il aurait la forme
d'un formidable serpent à plusieurs bosses précédées
d'une tête de cheval. Un monstre très aimable
d'ailleurs, qu'on a vu traverser la route devant un
automobiliste sans même tourner la tête. On y croit
tellement que, tiens, voilà justement un poste d'ob-
servation sur le bord de la route.

C'était vrai. Perché sur une espèce d'escabeau, un
individu, caméra au cou, l'œil collé à une longue-vue
pivotante, semblait attendre.

— Ils se relayent sans arrêt. Ils font partie d'une
société fondée pour repérer le monstre. Ils explorent
aussi les fonds. On croit que le loch communique
avec la mer, ce qui expliquerait la possibilité du
développement dans ses eaux de ces charmantes
bestioles. En attendant, c'est bien beau, n'est-ce
pas ?

C'était mon avis. L'air était tiède sur mes joues, le

soleil ruisselait sur tout le paysage, et le ciel pur découpait les montagnes à perte de vue.

Je me sentais soulevée d'une extraordinaire euphorie.

Le château d'Urquhart apparut bientôt, détachant ses sombres ruines sur le brasillement de l'eau. La route tournait, encadrant l'estuaire d'une rivière. C'était un endroit grandiose, empreint de la dignité émouvante de l'Ecosse.

— Maintenant, me dit Tony, tu vas voir autre chose. Nous entrons dans les glens plus étroits, les torrents, les rivières, les « burns » comme ils disent ici. Tu vas rencontrer une végétation comme tu n'en as jamais vue. Surtout dans le glen Affric.

Le glen Affric... Je ne l'oublierai pas de sitôt. Et pas seulement à cause de sa beauté si caractéristique, de sa route sinueuse qui suit un torrent aux énormes pierres éblouissantes de blancheur, de ses gorges sinistres, de ses cascades qui tombent à grand fracas dans des eaux sombres, hermétiques, cruelles.

C'est étrange. J'avais oublié mon horreur de l'eau !

Il n'y avait rien de commun entre cette mer limpide d'un bleu ardent, qui avait englouti mon mari et ces multiples chutes dévalant les sommets à travers un tel fouillis de végétation qu'il est presque inviolable : des eaux qui chantent, qui se ruent, qui sautent de roche en roche, qui se faufilent parmi les iris, les fougères, les saxifrages d'un jaune éclatant.

Nous arrivâmes dans une région où le bouleau est roi. Des lichens étranges s'accrochent à leurs branches et leur donnent un air d'arbres fantômes. Ils poussent jusque dans les torrents et on voit l'eau scintiller entre leurs troncs d'argent.

Peut-on manger meilleur plat que des tranches de saumon frais sautées dans la poêle, assaisonnées de plein air, de soleil, et du bruissement constant de l'eau contre les énormes pierres blanches ?

Nous nous étions assis sur des roches et nous nous régalions. Il y avait quelque chose d'essentiel dans l'atmosphère qui m'enchantait. Plus de problèmes pour moi ! J'étais simplement très heureuse.

Et Tony avait l'air content. De temps à autre, il me souriait, toujours préoccupé de mon confort, mais ne perdant pas une bouchée pour autant.

Il me racontait des épisodes de l'aventure incroyable de Charles Stuart, dont on disait que le trésor qu'il avait abandonné en Écosse avait été caché durant des années non loin de l'endroit où nous nous trouvions.

Quand nous eûmes bu et mangé, je sentis tout à coup la fatigue me prendre. Il faisait lourd. J'eus envie de m'étendre. Mais ces roches ? Tony leva le nez.

— Regarde, dit-il, là sur le coteau, il fait moins humide. Il y a des fougères géantes, une bonne herbe. Viens, tu seras mieux qu'ici.

— Tu es une vraie petite mère pour moi, Tony !

Il ne releva pas la plaisanterie et se contenta de me lancer un coup d'œil en coin en me tendant la main pour grimper la côte.

Bientôt, nous fûmes à mi-chemin. Il avait raison. C'était un fouillis de fougères, d'herbes fraîches.

Tony s'arrêta sur une sorte de plate-forme. Il y

faisait délicieux sous une ombre légère portée par de jeunes chênes vigoureux. La mousse était riche, épaisse et tendre, et le tapis de sol étalé, je m'étendis avec délices, les mains sous la nuque. Des bribes de ciel m'éblouissaient entre les branches. Il faisait exquis. Nous étions au bout du monde.

Mon compagnon s'étendit, appuyé sur un coude et me regardant attentivement.

— Tu es bien ? Pas trop chaud ?

— C'est parfait. Je crois que je vais dormir.

— Vas-y, je veillerai sur toi comme un vieux chien fidèle.

— Un bien beau vieux chien en kilt ! Il n'y a pas à dire, je t'adore comme cela !

— Vraiment ?

Le ton était léger. Je souris et fermai les yeux. J'étais si confortablement installée, le nez chatouillé par les exquises odeurs de la vraie nature, que je ne pensais pas plus loin.

Et sans m'en rendre compte, je m'endormis. Tony avait raison, je me sentais protégée.

Combien de temps ai-je erré dans un monde agréable ? Je ne connais rien de meilleur qu'un court sommeil d'après-midi, où l'environnement demeure vaguement présent.

La douceur du soleil tamisé sur ma peau et la brise d'été qui soulevait mes cheveux parvenaient de temps à autre à ma conscience.

Puis, tout à coup, quelque chose s'éveilla en moi. Une sensation étrange. Je récupérai mes esprits avant d'ouvrir les yeux.

Et, en cet instant, je surpris le regard de Tony. Il

avait changé de position et tenait ses genoux des deux
bras. Le menton sur l'épaule, il tournait la tête vers
moi. Son expression était telle que je me relevai sur
un coude, la bouche entrouverte de stupeur.

Ses yeux s'éteignirent et reprirent leur paresseuse
et légère ironie. Il décroisa les bras et me tendit les
mains.

— Tu vois, dit-il d'une voix un peu rauque, rien
n'est changé. Tu m'as surpris te regardant, ma petite
Cathy, comme si je ne t'avais jamais vue. Voilà une
demi-heure que je te contemple dans ton sommeil.
(Il changea brusquement de ton). Tu es la plus
exquise et la plus désirable des femmes, et tu le sais !

Il ne souriait plus, très pâle. Pour la première fois
depuis que je le connaissais, Tony avait perdu le
contrôle de lui-même.

Il dit sourdement :

— On ne peut tenter un homme à ce point. Voilà
des années que je t'aime comme un imbécile, mon
petit. Tu le sais...

Et je fus dans ses bras et il me renversait en
m'étreignant avec une espèce de désespoir.

Que s'est-il passé ? Je ne raisonnais plus. Je
découvrais tout à coup une incroyable et délicieuse
volupté dans les baisers qu'il me donnait. Même
pendant nos étranges fiançailles, surtout pendant ces
fiançailles, jamais Tony ne m'avait embrassée de
cette façon.

Et j'y répondais. Je suis si jeune. L'amour de
Janos, c'était différent. J'avais toujours été timide,
presque craintive, même, d'être si pudique devant la
violence de sa passion.

Ah! oui, ici, Dieu me pardonne, c'était différent!...

Mon excuse, c'était ma jeunesse qui criait, qui se rebellait. Il n'est pas possible que ce soit autre chose.

Je faillis perdre la tête.

Je me dégageai tout à coup, le visage inondé de larmes brusques. Je sanglotais :

— Tony, Tony, lâche-moi, je t'en prie!...

Il desserra les bras. Ses mains me quittèrent et un grand froid descendit sur moi. Il fallait que je mette ce froid entre nous. J'avais trop peur!

Et pourtant, j'avais à peine quitté ses bras que j'aurais voulu m'y retrouver.

Je demeurais comme un oiseau fasciné tout près de lui. L'éclat de ses yeux bleus était extraordinaire. Il avait laissé retomber les bras et bientôt, un lent sourire étira sa bouche.

— N'aie donc pas si peur, mon petit, dit-il enfin. Mais il faut que tu saches une chose... J'ai attendu tous ces mois parce que je sentais ton... chagrin. J'ai espéré cependant que tu comprendrais à la longue que nous pourrions être très heureux ensemble. Ne le sommes-nous pas, Cathy? Réponds honnêtement... N'es-tu pas heureuse avec moi? Tu sais aussi combien j'aime ton petit bonhomme. Tu le sais. Et toi-même, ne te doutais-tu pas que je n'ai jamais cessé de t'aimer?

Il s'étendit à côté de moi et me reprit la main. Nous nous regardions sous l'ombre piquée d'or du petit chêne. Nous étions incroyablement éloignés de tout, seuls devant notre problème. Je ne pouvais me détacher de cette étreinte. C'était impossible. Je sentais ma volonté se fondre dans la sienne. En somme, maintenant que je fais le bilan des derniers mois — je pourrais dire des dernières années — je comprends que j'ai toujours été incapable de résister à une volonté plus forte que la mienne. Il me semblait que Tony avait raison, que je ne pouvais me passer de lui.

Il continuait de sa voix persuasive, bien timbrée, avec ce petit rien d'accent qui m'avait toujours plu :

— Allons, mon petit, réponds. Tu le savais, n'est-ce pas, que je t'aime encore ?

Mes lèvres tremblaient.

— Je ne sais pas, Tony. Oui, je crois que je m'en doutais. Mais pas... comme ça.

Et je sentais brûler mes joues. Il eut une grimace qui me rappelait celles qu'il avait eues jadis quand il m'avait proposé de l'épouser alors que la vie devenait impossible chez Natacha, folle de Janos. Quel méli-mélo ! Il avait été si bon, si compréhensif. Tout ce passé revenait en trombe. Mais avait-il, vraiment, sincèrement renoncé à moi ?

Et cela me flattait et m'effrayait parce que je ne savais plus sur quel pied danser. J'avais une envie folle de me jeter dans ses bras et de goûter à nouveau cette sensation si violente, si nouvelle.

Il me baisa très doucement les mains.

— Peut-être, mais tu le savais quand même. La question, à présent, c'est de mettre les choses au point.

— Que veux-tu dire ?

Il se redressa sur un coude, libérant mes mains. Il me regardait de nouveau avec cette étrange expression faite de doute, d'une immense tendresse et, peut-être, d'une légère ironie.

— Ne me dis pas que tu ne comprends pas, ma petite Cathy, ce n'est pas compliqué. Marions-nous, tout simplement !

Pourquoi la mélodie, « sa » mélodie est-elle venue se mêler au ruissellement de l'eau ? J'étais dans la plus profonde incertitude. Céder, renoncer une fois pour toutes à un chagrin qui me tenait depuis des mois ? Et, en même temps, l'impression d'une affreuse trahison vis-à-vis de mon seul réel amour. Je sentis que la décision était impossible à prendre, qu'il fallait gagner du temps.

— Laisse-moi le temps de comprendre. Je croyais vraiment que tu n'avais plus pour moi qu'une très grande affection. Je croyais même que tu... J'ai un jour entendu des types au café des Deux-Magots dire qu'il y avait sans doute une femme dans ta vie !

Il éclata d'un grand rire jeune.

— Une femme !... Des femmes, voulaient-ils dire ! Je ne suis pas un saint, je te l'ai déjà dit, si tu te souviens bien ! Bien sûr qu'il y en a eu. Je ne pouvais passer mon temps à soupirer après ton amour comme un collégien.

Cela ne me plut qu'à demi. Stupide, injuste peut-être. Mais comme ça. Je me durcis davantage.

— Tu vois !... Je ne suis pas si sûre que ton amour est réellement assez fort pour faire notre bonheur à tous deux.

Il répondit tranquillement, mais avec une intensité qui me frappa :

— Si étrange, en effet, que cela te paraisse, je

t'aime, Cathy, du fond du cœur. Je t'ai aimée tout de
suite, comme un vieil imbécile que j'étais, quand je
t'ai revue, jeune fille déguisée en gamine par une
Natacha crevant de jalousie sans s'en rendre compte.
J'ai senti en toi des possibilités énormes. Je t'offre de
les développer, de devenir une femme, une vraie
femme...

Je l'interrompis violemment :

— Je l'ai été, une femme ! Dans les bras de Janos.
Auprès de Janos, auprès de l'homme le plus extraordinaire qui ait vécu. Tu le sais...

Il faut que je décrive ici l'expression qui passa sur
son visage. Fugace, furtive, presque invisible, mais je
l'ai déjà dit, si je ne suis pas un foudre d'intelligence,
j'ai de l'intuition. Eh bien, à ce moment, j'ai eu
l'intuition que Tony haïssait Janos.

Et tout vient de là ! L'instant d'après, il s'était
rapproché de moi, me reprenait aux épaules, me
regardait dans les yeux.

— Je sais, je sais, ma chérie... Mais Janos est mort
et tu es trop jeune pour continuer à le pleurer toute
ta vie. Tu as un fils aussi, qui mérite autre chose
qu'une mère éteinte. Je ne suis plus aussi riche
qu'avant peut-être, mais suffisamment encore pour
vous assurer le nécessaire et même un peu de
superflu. Et puis, quand je serai fixé, une fois pour
toutes, la corde au cou, sois persuadée que je serai un
bon mari prudent, un bon père de famille, Cathy !...
Je suis encore assez jeune pour espérer avoir des
enfants de toi. Veux-tu me les donner ?

Il m'attirait irrésistiblement vers lui.

Comment résister à la douceur de ses baisers ? Je

faillis perdre la tête, je l'avoue bien humblement. Et cependant, c'est l'intensité physique de mon émotion qui me sauva. Je me dégageai avec violence, le repoussai, en le conjurant :

— Non, Tony, laisse-moi. Ce n'est pas juste. Toute idiote que je sois, je sais très bien que la nature est là, qui me guette. J'ai connu l'amour d'un homme, même si tu me prends toujours pour une petite fille ! Je connais les pièges des sens. Je ne veux pas fonder mon avenir sur des sensations.

Mais il me tenait les mains et ses yeux me brûlaient. Il dit, les dents serrées :

— Il n'empêche que tu as répondu à mes baisers. Ose prétendre le contraire ? Et tu n'es pas femme à te laisser aller justement à tes sens seulement. Essaie de comprendre que derrière cette façade physique, il y a un véritable amour qui t'attend, Cathy !

Je me mis debout. Il sauta sur ses pieds. Un bref instant, je le trouvai très beau, d'une jeunesse, d'une vitalité, d'une ardeur extraordinaires. Je suppliai d'une voix tremblante :

— Je veux réfléchir, Tony. Je te demande de... de ne plus me toucher. Il faut que j'y pense, c'est trop grave, pour toi comme pour moi.

Contente de ma formule, je lui tendis les mains dans un geste d'affection.

— Demeurons des amis, jusqu'à ce que j'aie pris une décision. Veux-tu faire cela pour moi ?

Sa figure se crispa, mais sans colère. Et je vis luire, une fois de plus, cette expression de profonde indulgence qu'il avait eue si souvent pour moi. Etrange, cela me vexa.

— Bien, dit-il d'une voix unie. D'accord. Je te fiche la paix sous ce rapport. Mais tu me donneras ta réponse sans tarder. J'ai attendu très longtemps, très patiemment, Cathy, ne l'oublie pas.

Il me sembla qu'il y avait comme une vague menace dans sa voix. Les larmes me sautèrent aux yeux. Il les vit.

— Ne pleure pas, petite sotte... Non, je ne suis pas fâché. J'avais seulement espéré que tu ressentirais enfin la même chose que moi.

Je ravalai mes larmes.

— Ne peux-tu, de ton côté, te rappeler que j'ai été la femme de Janos ?

— Je n'ai fait que cela depuis des mois, mon petit, dit-il brièvement en se penchant pour ramasser le tapis de sol. Viens, nous allons pousser jusqu'au château de Glengarry et nous reviendrons loger à Fort William. Nous rejoindrons Antoine dans deux jours.

— C'est aussi pour lui que je dois réfléchir, Tony !

Je crus qu'il allait perdre patience.

— C'est entendu, c'est entendu. On n'en parle plus !

Et voilà !

Il a tenu parole et pendant ces jours qui nous ont ramenés auprès d'Antoine et de Jane, il a été un compagnon charmant.

J'étais certainement beaucoup plus mal à l'aise que lui. J'ai versé des torrents de larmes dans la solitude de ma chambre d'hôtel. J'essayais de demander du secours à Janos. C'était peut-être puéril, car je n'avais pour tout réconfort que la photo. Je frottais mes joues enfiévrées sur ce visage glacé qui n'avait plus de dimensions. Il était mort, bien mort, hors de portée et je le ressentais cruellement.

Et les remords m'inondaient, me tenaillaient, me mettaient des sanglots dans la gorge. Je ne voulais pas m'avouer que je me battais contre moi-même, contre mon corps constamment brûlant. J'avais envie de crier : « Tony, tu as raison, n'attendons pas. Je suis d'accord, marions-nous ! » Mais mon amour pour Janos, alors ? Ma fidélité au souvenir de ce qu'il était, qu'est-ce que j'en faisais ? Et puis, un peu de rancœur aussi, parce que Tony m'avait beaucoup trop dominée.

Et maintenant, nous sommes rentrés à Paris. Je regarde par la fenêtre mon arbre qui commence à perdre la splendide vitalité qu'il va chercher, on se demande comment, sous les pavés de la cour. Un coup de vent en bourrasque le secoue durement. Je frissonne. Mais je vois plus clair.

Tony prétend m'aimer. Je veux bien le croire. Mais jusqu'à quel point est-il absolument désintéressé ?

Je n'ai pas osé, de crainte de le compromettre, demander des détails précis à la banque. Une chose est certaine, il ne semble pas y avoir trace, à part la petite rente qui me vient de mon père, de rentrées de la vente des disques de Janos. Il y a seulement le versement mensuel du 27. Je n'ai pas non plus osé en demander l'origine. C'est peu de chose, comparativement à ce que Janos gagnait jadis. C'est tout juste suffisant pour les frais de notre existence. Je ne vois pas trace non plus du capital qui aurait dû normalement s'accumuler. Mon pauvre amour avait certainement touché de gros cachets à Paris, et bien davantage encore aux Etats-Unis.

Alors ? Tony a ma procuration depuis la mort de mon mari. Et je me torture, je relis ma relation des événements. Et puis je me rappelle ces phrases entendues aux Deux-Magots. « Il a fait de mauvaises affaires. Il a négligé aussi certains contrats qu'il aurait pu signer. » Et là, mon trouble est grand. Il a perdu tellement de temps pour nous ! Il lui est arrivé de remettre des rendez-vous ou de retarder plus d'une fois un départ parce que j'avais besoin de lui.

Il y a autre chose. J'ai eu le courage d'aller chez le notaire. Celui que Natacha avait chargé de me régler la donation de l'appartement de l'île.

Je l'ai trouvé réticent. En somme, il ne semblait pas savoir grand-chose et, une fois de plus, je n'osais l'interroger trop crûment. Non, il ne connaissait pas les termes des dernières volontés de Natacha. En somme, c'était M. Mac Allan qui était son exécuteur testamentaire. Lui seul était habilité pour donner des précisions.

Des précisions ?... Tony me les avait données. Natacha ne me laissait rien.

Le notaire ignorait ce qui s'était passé avec son collègue britannique. Les dispositions que Mme Natacha Boltoï avait prises jadis avaient été annulées. C'est tout ce qu'il pouvait me dire. Le dossier avait été transféré à Londres. Je devais demander à M. Mac Allan...

Je vois encore ce vieux monsieur très distingué me regarder, ses grosses lunettes à la main ; d'un regard bleu qui me rappela Tony. Et j'aurais juré qu'il n'était pas à l'aise. Je demandai, tâchant d'affermir ma voix :

— Vous êtes donc certain que ma belle-mère n'avait rien prévu pour moi et qu'elle n'a rien laissé ? Si je vous demande cela, monsieur, ce n'est pas... croyez-le bien, que je sois intéressée, mais je sais qu'elle n'avait qu'un vague cousin, très éloigné et... qu'elle m'a toujours considérée comme sa fille. Vous comprenez ? Il me semblait alors...

Il remit ses lunettes en ouvrant machinalement un dossier.

— Je sais fort bien cela et j'ai déploré que Mme Bolstoï ne m'ait pas davantage consulté pour ses placements éventuels, à l'époque où elle pensait tester en votre faveur.

J'eus envie de crier : « Mais Tony, lui, s'occupait de ses affaires ! »

Une fois de plus, je n'osai pas. Mes soupçons sont tellement horribles que je ne veux pas m'y attarder. Non, je ne peux m'y résoudre.

Pour résumer : Tony aurait donc utilisé les fonds de Janos et peut-être ceux de Natacha ? Les tableaux ?... Il me les a donnés pourtant ?

Alors ?

Bon. Cette question matérielle, je ne veux pas m'y arrêter. Ce n'est pas elle qui pèsera sur ma décision. Car il a certainement eu en vue de nous aider, me considérant comme une enfant irresponsable, trop tendre, trop sentimentale.

Cependant, cela me gêne.

Mais il y a pire... J'ai lu et relu mes notes. Surtout

depuis la période où il est revenu de New York et où,
en somme, il a tout pris en main.

Quand il est retourné là-bas et que je le suppliais
de décider Janos à revenir, l'a-t-il fait ? Et toutes ces
photos d'Antoine qu'il promettait d'envoyer à son
père ? Sont-elles bien parties ? Il me les a rendues en
me disant qu'il les avait trouvées dans les affaires de
mon mari.

L'histoire du contrat ? A-t-il réellement essayé
d'obtenir de lui la faveur de laisser revenir Janos ?

Tout cela me hante depuis trois jours.

Il est parti pour Londres, voyage d'affaires, m'a-
t-il dit en me quittant.

Mais il m'a regardée un bref instant avec intensité.
« Je reviens jeudi. J'espère ta réponse, mon petit. »
Rien de plus. Il attend...

Son amour est-il un amour véritable ? Ou le désir
qu'il refoule depuis toujours ? Ou celui d'un homme
qui avance en âge pour une très jeune femme ?

Et maintenant, le problème, le seul qui me boule-
verse jusqu'au fond de l'âme.

Tony, comme tous ici bas, comme moi-même, est
pétri sans doute de contradictions. Il est à la fois
admirable et mesquin, profond et léger. Malgré tous
mes discours, je crois à son amour. Mais peut-il
remplacer pour moi celui d'un homme tel que Janos ?

Je me suis étendue, j'ai fermé les yeux, et j'ai
pensé à mon mari chéri. J'ai revu son beau regard
direct, triste, celui d'un être blessé par la vie. Son
enfance malheureuse, sa pauvreté, ses luttes contre
les préjugés de la société, son drame avec Natacha, le
sacrifice de notre amour, puis enfin notre union.

Notre union... Et puis, sa mort...

Je n'ai pas le droit de l'oublier, d'oublier que j'ai appartenu à un tel homme. Il est à cent coudées au-dessus de Tony.

Mais que ce sera dur de le lui dire ! Ah ! Janos, reviens, reviens m'aider à vivre !...

Je suis anéantie. J'ai marché deux heures pour tenter de retrouver un peu de calme.

Le calme, je l'ai ! Il se traduit par une immense lassitude. Je suis devant mon papier. Je suis affreusement choquée et cependant j'essaie d'être juste. Mais tout ce qu'il m'a dit est écrit là, dans mon souvenir et me fait mal à crier.

Il faut que je reprenne le début.

Tony est donc resté trois jours à Londres.

Il est arrivé, magnifiquement indifférent, avec son allure toute de sobre élégance. Il est plus distingué que Janos ne l'était. Janos, c'était autre chose. Rien de vulgaire, mais plus pesant, plus carré. Un artiste, une force de la nature.

Il m'a embrassée devant Jane sans avoir l'air d'y toucher ; comme il le fait parfois, un vrai baiser de frère. Mais il s'est rattrapé sur Antoine ! Mon fils l'adore, d'ailleurs. Je suis persuadée que dans son petit monde de bébé innocent, Jane est la première à compter, puis Tony, enfin moi.

Après le déjeuner, Jane m'a proposé d'aller promener Antoine. Il faisait beau.

— Va te promener, Jane, c'est une très bonne idée. Je servirai le café à M. Tony.

J'osais à peine le regarder pendant que je m'appliquais à verser le liquide odorant dans les ravissantes

petites tasses de Natacha. Et je me crus revenue
soudain des années en arrière, quand j'avais eu tant
de chagrin et qu'il m'avait consolée. C'est à lui que
j'allais en faire, du chagrin ! Il comprendrait, il
comprenait toujours tout !

Mais pourquoi ne disait-il rien pour m'aider ? Je
m'assis enfin en le regardant nerveusement.

Il se renversa sur son dossier, tout en sirotant sa
tasse à petits coups, puis il eut son lent sourire, sans
me quitter des yeux.

— C'est donc si difficile à dire ?

Son ton froid, un peu sarcastique, me jeta dans
l'affolement. Et je me butai, immédiatement.

— Non, ce n'est pas compliqué, Tony, mais je
déteste te faire du mal.

— C'est donc « non » ?

J'avalai ma salive à grand-peine et reposai ma tasse
pour chercher mon mouchoir. J'entendis qu'il disait
avec un calme terrible :

— Comment es-tu arrivée à cette conclusion ?

Il s'était penché et je sentais son souffle dans mon
cou, son odeur d'homme soigné, le vague souvenir de
son tabac fin. Je baissai davantage la tête et soufflai si
bas qu'il me fit répéter :

— Eh bien, c'est exact, c'est « non » Tony... Je
suis désespérée, je t'assure, mais je ne peux vraiment
pas.

Un monde de menace dans le simple mot :

— Pourquoi ?

Je plongeai désespérément :

— Parce que je veux vivre réellement dans le

souvenir de Janos. Je n'ai pas le droit, vois-tu,
d'essayer de retrouver une espèce... une espèce...

Je m'arrêtai. Je n'osais relever les yeux. La voix
reprit, dure cette fois :

— Une espèce de... ? Allons, dis, Cathy...

— Une espèce d'amour qui... oh ! ton amour me
touche beaucoup mais il ne peut remplacer celui de
Janos, vois-tu. J'en suis désolée, mais je suis sûre que
nous ne serions pas heureux. Tu sentirais toujours
que je... que je pense à lui. Oh ! ne te fâche pas.
Comprends-moi... Quand on a aimé un homme
comme Janos...

— C'est pour la vie, je sais. Bon, je t'écoute avec
attention et intérêt.

Je relevai la tête. Il avait pris un visage de bois,
seuls ses yeux fulguraient. Je cherche ce que j'y ai lu
à ce moment. Tout ce que je sais en tout cas, c'est
que je n'en menais pas large. Il continua :

— Admettons que je ne sois pas digne de remplacer un homme tel que Janos...

Je l'interrompis :

— Je n'ai pas dit que tu n'en étais pas digne... Oh !
essaie de comprendre...

— J'essaie, en effet. Je vais te demander une
dernière chose, car je sais que tu es une fille sincère.
Qu'as-tu ressenti dans mes bras, là-bas, le long du
torrent, à Glen Affric ?

J'avais les yeux brouillés de larmes.

— Justement, justement... C'est ça qui me fait
peur. Je crains que ce ne soit entre nous qu'une
question de sens. Je ne suis pas plus mal faite qu'une
autre. Dans ta générosité, tu m'as trouvée gentille, tu

m'as désirée. Et tu m'as traitée sans doute autrement
que... les autres. Tu veux m'épouser. C'est très chic
de ta part, mais je ne crois pas que je pourrais te
rendre heureux. Non, Tony, l'amour, pour moi... Et
jamais, jamais, vois-tu, je ne pourrai oublier celui
que je porte à Janos. Tu diras que je suis bien
romanesque. C'est vrai. Peut-être n'as-tu pas appré-
cié mon mari autant que moi parce qu'au fond je
crois que tu en as toujours été jaloux.

Je baissai la tête, étouffée par les larmes et les
sanglots. J'achevai presque à voix basse :

— Je crois même que tu as tout fait pour qu'il ne
revienne pas ! Mais je te le pardonne, je te le
pardonne !... De tout cœur ! J'espère que tu ne
doutes pas de mon immense affection pour toi. Tony,
mon cher Tony, dis quelque chose. Tu es mon ami
très cher, tu le resteras toujours.

Il s'était levé, la tête tournée vers la fenêtre
ouverte sur la cour. Puis enfin, il se retourna, le
regard étincelant.

— Ainsi, tu m'offres ton amitié, tout simplement ?

— Oui, Tony, dis-je humblement en lui tendant la
main.

Il ne la prit pas et alla vers la porte. Il s'arrêta à mi-
chemin. Il me regardait maintenant avec une espres-
sion étrange.

Il secoua la tête très lentement :

— Non, Cathy, ça ne va plus !... Je m'en vais et tu
ne me reverras plus... Ne m'interromps pas. A mon
tour de te dire ce que j'ai sur le cœur. Je m'en vais
parce que tu ne vaux pas la peine que je reste. (Quel
chagrin j'ai d'écrire ces mots qui m'ont frappée au

cœur !) Tu n'as pas été capable de comprendre la
qualité de l'amour que je t'ai porté depuis toujours.
Tu n'as été qu'une petite fille qui, je te l'ai dit, était
pleine de possibilités. J'avais été profondément touché par ton sacrifice à l'égard de Natacha. Il m'avait
prouvé la pureté de ta nature. Je te croyais une âme
exceptionnelle. Tu es pure, mais tu n'es encore
qu'une enfant et je crains bien que tu ne grandisses
jamais ! Ce n'est pas tout à fait ta faute. Tu as vécu
plus ou moins opprimée, puis tu as aimé Janos
jusqu'à la bêtise... Ne m'interromps pas... Tu lui as
donné toute la possibilité d'infini dévouement qui
était en toi. Malheureusement, tu n'es pas capable de
juger plus loin. Il faut que tu restes à la traîne de cet
homme parce qu'il est le premier qui t'a eue. Cela
t'empêche de comprendre ce que je t'offre. J'ai
attendu patiemment après la mort de Janos. Et
malgré tes insinuations offensantes — tu sais que
jamais je n'ai blâmé sa conduite — je t'ai laissée à ton
bel amour sans essayer de plaider ma cause. Vrai ?

Il me laissait enfin l'occasion de placer un mot. Il
fut tout petit, à peine murmuré :

— Vrai...

— Bon. Je voulais que tu viennes à moi librement,
en femme réfléchie qui, bien qu'elle ait souffert, sait
que la vie est terriblement exigeante et forte. Je t'ai
peut-être tyrannisée (il eut un faible sourire). Je suis
peut-être en partie responsable de ton infantilisme.
Je t'ai trop mâché la besogne. Je voulais tant te
protéger ! Tu veux te consacrer au souvenir de ton
mari ? C'est ton droit. Parfait ! Vis donc avec tes
photos et tes disques. Mais moi, c'est fini. Je suis

encore suffisamment jeune pour espérer, un jour, me marier. Je m'en vais donc, mon petit, sans reproches amers, mais simplement parce que j'en ai assez... Non, ne commence pas à faire la fontaine. Je ne changerai pas d'avis. Que veux-tu ? Je t'offre tout et tu me réponds en me proposant bien gentiment la continuation de notre belle amitié. Je le répète, c'est ton droit, mais c'est aussi le mien d'en avoir assez !

Une voix me criait : « Lève-toi, cours vers lui, jette-toi dans ses bras, tu vas le perdre ! »

Et pourtant, je demeurais figée sur mon siège, la gorge si serrée que plus un son ne passait. Je le regardais, j'essayais de réaliser que j'étais en train de perdre Tony.

Et très loin j'entendais, pour moi seule, la mélodie de Janos.

A la porte, il se retourna. Il se tenait très droit. Tous ces détails ne me quitteront sans doute jamais. Mince, élégant, avec un costume clair qui lui allait, son visage vif, aigu, empreint d'une expression que je ne comprenais pas encore tout à fait. J'étais anéantie, stupéfaite. Il dit doucement, et alors je ne me fis plus d'illusions :

— Bien entendu, je prendrai toutes les dispositions pour que la banque t'envoie régulièrement ce dont tu auras besoin. Je renoncerai ensuite à ma procuration qui sera désormais inutile. Mais j'ajoute que si tu étais jamais dans un souci majeur, je dis : majeur — je suis toujours à ta disposition. Le notaire Bailli aura mon adresse. Voilà. Adieu, mon petit...

Je retrouvai alors ma voix et mes jambes et me précipitai vers lui, absolument affolée.

— Où vas-tu ? Tony, dis-le-moi !

Il eut son sourire inimitable.

— Au diable. Embrasse Antoine pour moi.

Il ajouta après un bref sourire plus accentué :

— Et Jane.

CHAPITRE XI

La porte était fermée et j'étais là, les jambes tremblantes. Une chose était certaine : j'avais perdu Tony. C'était fini !

Maintenant, me voilà seule. Je suis sortie peu après lui, incapable de rencontrer les yeux de ma vieille bonne qui comprendrait tout de suite que j'avais mis à la porte son bien-aimé Tony.

Mais pouvais-je faire autrement ? Le pouvais-je ? C'est lui d'ailleurs qui a voulu partir.

Les choses terribles qu'il m'a dites m'obsèdent. Ai-je vraiment été aussi égoïste, injuste vis-à-vis de lui ? Ne suis-je qu'une gamine arriérée ? N'ai-je rien compris ?

Peut-être, mais j'ai raison, raison vis-à-vis de mon pauvre mort. Je dois avoir raison.

Vers qui me tourner ? Je suis seule, irrémédiablement seule. Le petit Antoine n'est qu'un bébé qui me regarde avec ses yeux immenses. C'est terrible d'avoir des remords et des regrets.

Voilà plus de huit jours qu'il est parti et, déjà, je ne sais plus où donner de la tête. Le vide est affreux.

Pourtant, j'ai eu raison vis-à-vis de Janos ! Je me

répète les mots de Tony : « Une enfant qui n'a jamais grandi... » Il a cru un moment que j'étais capable de grandes choses quand je me suis sacrifiée pour Natacha. Et surtout : « Tu ne vaux pas la peine que je reste ! »

Si, au moins, Natacha était là. Si Janos n'était pas là-bas, dans son cimetière « lumineux » avec une brise chaude qui fait osciller les branches au-dessus de sa tombe. Que reste-t-il de mon pauvre amour ? J'ai des visions affreuses d'un rictus de Janos, un rictus de squelette qui n'a rien à voir avec l'image que je veux conserver de lui.

Peut-être. Mais il me reste le souvenir de sa belle âme généreuse, de son amour profond et fidèle. Un artiste, un grand, un digne artiste...

Hier soir, j'étais tellement à bout que j'ai voulu, pour la première fois, retrouver tout à fait Janos. J'ai sorti ses quelques disques, ceux qu'il avait enregistrés à Paris et le tout dernier de Prokofiev. Jane est entrée dans le salon portant Antoine tout frais, tout doux et encore un peu moite de son bain. Un moment, j'ai fermé les yeux en sentant contre ma joue toute cette fraîcheur innocente. Mon fils !... Celui de Janos !... Mais si petit, qu'il n'est pas un compagnon.

Je l'ai renvoyé d'un geste et Jane a pincé les lèvres une fois de plus. Elle a tout deviné, c'est certain. Elle m'en veut. Que peut-elle comprendre à mon problème ?

Alors, l'un après l'autre, j'ai mis les disques sur l'électrophone. Et la musique a empli le salon. La musique de Janos. Et mon amour a paru mesquin à côté du talent de l'immense artiste qu'il était. Je crois qu'il a voulu, de cette manière, de l'au-delà, me faire comprendre, m'envoyer un message. Il avait raison. La musique doit toucher directement le cœur, oui, mais le corps aussi. J'ai été emportée comme par un torrent. Et les yeux fermés, j'écoutais, je passais de Bach à Mozart, à Schumann, à Ravel, à Brahms. Son concerto, celui du premier concert. Et tout le passé revenait confus, avec des éclairs fulgurants de tendresse, de désespoir.

Par moments, je me disais : « J'ai eu raison. Janos était ma lumière. Ce n'est pas mal d'aimer par-delà la mort ! »

Puis, tout à coup, j'ai revu Tony, comme en Ecosse, dans son kilt. J'avais envie de tendre les bras vers lui. Comment ai-je pu ? C'est mon leitmotiv à présent. Comment ai-je pu lui faire une peine pareille ? Surtout, comment n'ai-je pas compris que je ne peux me passer de lui ? Et autrement que comme un ami précieux ?

Est-ce le miracle que j'espérais ? Est-ce Janos qui, finalement, en remuant en moi des sentiments essentiels, m'a permis de voir clair ? Mon pauvre, pauvre mari, mort si cruellement !

Une fois de plus, j'ai comparé ces deux hommes qui ont rempli ma vie. Janos, un artiste admirable, m'a dominée. Un homme passionné, impitoyable parfois, exigeant, presque violent. Une personnalité toute d'ardeur, peu encline à l'humour, à la gaieté. Mais m'aimant, de cela je suis sûre, de toutes ses forces. M'aimant sans se rendre compte que je ne pouvais pas toujours suivre l'emportement de sa nature entière. Tant en amour que dans cette vie trépidante de la nuit dont il ne pouvait se passer.

Et Tony, que je croyais superficiel ! Comment ai-je pu me tromper à ce point ? Une tendresse qui ne s'est jamais démentie. A l'encontre de Janos, une compréhension de tous les instants, une indulgence à la fois fraternelle et amoureuse. Comme je l'ai mal jugé, comme j'ai pris stupidement sa désinvolture apparente pour de la légèreté ! J'ai honte, profondément honte de ce que je lui ai dit. Je ne me le pardonnerai jamais !

Je n'ai plus qu'une idée, le supplier de me pardonner, de me rendre confiance en moi-même, de me rendre cet amour qu'il m'a retiré.

J'ai compris. Il faut que je lui écrive. Pour ça, il faut que j'aille chez son notaire. Lui seul a son adresse...

Me voici revenue de ma visite chez Me Bailli.

Le vieillard m'a regardée une fois de plus, en enlevant ses lunettes d'écaille. J'ai cru voir l'ombre d'un sourire sur ses lèvres. Il m'a dit :

— M. Mac Allan m'a bien répété que je ne devais vous donner cette adresse que si vous étiez dans une situation d'urgence, qui nécessite son aide. Il veut se reposer complètement quelques mois. Il a été très fatigué, très sollicité ces derniers temps.

J'ai rougi.

— Je crois que c'est très important, maître. Je vous serais tellement reconnaissante !

Il a mis un temps infini à consulter un agenda qu'un clerc lui a apporté.

— Voici, a-t-il dit enfin. M. Mac Allan se trouve

dans la ferme des Mac Rae au loch Hourne. Savez-vous où c'est ?

— Il m'en a parlé.

Il a eu un bon sourire.

— J'ai beaucoup d'estime et d'affection pour lui, madame. C'est un vrai gentleman. Je crois n'avoir pas mal fait en vous donnant son adresse.

Je suis sortie presque joyeuse. Pas longtemps pourtant, car mes doutes se sont à nouveau emparés de moi. Il fallait lui écrire. Il y a trop de risques à arriver de but en blanc, sans savoir comment il m'accueillera...

J'ai terminé ma lettre à grand-peine. J'ai voulu tout d'abord me perdre dans des tas d'explications. Finalement, je lui ai dit en quelques mots que j'avais enfin compris que je lui demandais humblement pardon d'avoir été si méchante, si stupide, si incroyablement aveugle. Que, sans contrordre de lui, je prenais l'avion et allais le rejoindre.

Ma lettre est partie depuis trois jours. Pas de réponse. J'espérais un câble. Tant pis, je pars pour essayer de le convaincre. Je suis comme folle. Folle, je l'ai toujours été. J'aurais mérité de ne pas le reprendre !

Le soir.

Oserai-je le revoir maintenant que j'ai trouvé une nouvelle preuve de son incroyable générosité ?

Il me fallait organiser mon voyage en avion jusqu'à Glasgow. De l'agence touristique, je suis passée au guichet de la banque. Plus d'argent !

L'employé m'a regardé d'une manière étrange.

— Les ordres que vous avez donnés par le truche-

ment de M. Mac Allan vident ce compte en perma-
nence, madame. Quant à votre compte-courant, il ne
sera alimenté par M. Mac Allan que le 27 août.
Comme d'habitude. Mais, bien entendu, je suis à
votre disposition pour vous verser ce dont vous avez
besoin.

J'ai balbutié un chiffre. Je suis sûre que je n'ai pas
prévu assez, mais j'étais tellement bouleversée...

Ces ordres dont parlait l'employé ? Et puis, ce
compte alimenté par Tony ? Je ne sais plus. Peu
m'importe. Je pars...

Trois abominables jours d'attente ont donc suivi
l'envoi de ma lettre.

Pas de réponse. Je me mis pour tout de bon à
préparer fiévreusement mon départ.

Bien entendu, comme je n'ai jamais rien organisé
moi-même, la somme que j'avais demandée à la
banque était tout à fait insuffisante. Je pris mon
courage à deux mains et m'adressai à la seule
personne qui me restât au monde, la vieille Jane.

Je me vois encore, les mains sur ses épaules
maigres qui pointaient sous sa robe noire, tout près
de son visage ingrat.

Pourtant, il y avait dans ses yeux pâles une solidité
qui me réconforta. Je me mis à pleurer tout simplement en lui racontant combien j'avais été folle et
ingrate. Sa bouche se mit à trembler. Je crois bien
que je lui ai donné une des plus grandes joies de sa
vie, en me confiant à elle. Elle emprisonna mes
mains sur ses épaules en disant d'une voix entrecou-
pée :

— Je suis bien contente que vous m'ayez tout dit,

miss Cathy. Je m'en doutais bien, allez ! Il y a si longtemps que j'espère que vous vous tournerez vers M. Tony. Il n'y a pas un homme au monde comme lui, croyez-moi. C'est bien autre chose que...

Elle s'arrêta à temps et je dis tristement :

— Il ne faut pas, Jane... cela ne change rien au souvenir que je garde de mon mari. C'est le passé, n'en parlons plus. Il faut que je parte maintenant et je n'ai pas assez d'argent. Jane, peux-tu m'en prêter un peu ? Tu as peut-être des économies ?

Déjà, elle détachait mes mains, courait vers la porte, s'y retourna :

— Bien sûr que j'en ai ! Je vais vous le chercher. Je ne le laisse jamais à la banque. Je n'aime pas ça. Et j'ai même encore des livres sterling que j'ai rapportées de mon voyage dans le Devon. Oh ! miss Cathy, que je suis contente. Attendez-moi !...

Ainsi fut résolu mon départ. Jane me conduisit jusqu'au taxi, Antoine sur les bras.

— Ne vous faites pas de souci pour le petit. Je veillerai sur lui. La concierge est une brave femme, si j'étais dans l'embarras elle m'aiderait.

Je serrai hâtivement mon bébé contre moi. Quelle mère reviendrait vers lui ? Une Catherine désespérée ?

Je ne voulus pas penser à cela. Ma dernière vision fut celle de la brave fille debout sur le quai, tenant le bébé, qui agitait ses petites mains.

Je passe sur le voyage. Disons qu'il était placé sous le signe d'une agitation, d'une impatience qui me rongeait littéralement l'estomac. J'avais l'angoisse d'un accident qui m'empêcherait de continuer.

J'avais le fol espoir de retrouver Tony à Glasgow quand je descendis du train de nuit (je n'avais pu trouver place dans un avion), mais le quai était désert dans l'atmosphère froide et humide propre à cette ville que j'avais trouvée laide et lugubre pendant notre court voyage.

Il me fallait donc me débrouiller moi-même. Quelques heures plus tard, j'étais sur la belle route du loch Lomond, installée dans un car où j'avais obtenu une place en dernière minute.

J'espérais arriver avant la nuit au loch Hourne. Je me souvenais que Tony m'avait expliqué que la ferme où on pouvait loger se trouvait à Kinlochourne, à la tête du lac.

Il s'agissait de trouver à Fort William un taxi qui voulût bien me conduire.

Premier incident. Le car tomba en panne. De sorte que la nuit était déjà là quand j'arrivai dans la petite localité. Impossible de trouver une voiture. Je dus me résigner à descendre dans un hôtel, à l'entrée de cette rue étroite que j'avais vue avec Tony, peu de temps auparavant.

Passons, passons sur une nuit qui fut plutôt une veillée d'armes. Je dus m'endormir vers l'aube. J'étais pâle et défaite quand je me regardai dans le miroir le lendemain matin. Je mourais de peur, tout simplement. Maintenant que j'approchais du but, je ne cessais de revoir ce visage impitoyable qui m'avait fait face au moment où Tony me signifiait sa volonté de rompre notre amitié. Ne l'avais-je pas trop cruellement offensé ?

Je descendis dans un parfum appétissant de bacon et de saucisses qui me conduisit tout droit à la salle à manger.

Là, je repris courage. Tony m'aurait certainement dit que je ne pouvais engager une pareille bataille sans prendre des forces. Cette pensée me revigora.

Je quittai la table, réconfortée. Le patron de l'hôtel, avec la gentillesse habituelle des Ecossais, s'était mis en campagne pour m'assurer une voiture qui voulût bien aller jusqu'au loch Hourne.

— Mac Dunn le fera volontiers, me confia-t-il en revenant. Vous savez, c'est peut-être au bout du monde, mais tous les matins, il y a quelqu'un d'ici qui téléphone à la brave Mrs Mac Rae. On voit comme ça si tout va bien à la ferme. Vous ne voulez pas téléphoner, par hasard ?

Le trac me prit. Non, je ne voulais à aucun prix risquer qu'on me priât poliment, mais fermement, de m'abstenir d'aller jusque-là !

Le brave homme continua :

— Seulement, le chauffeur vous demande de patienter encore une heure. Il doit aider sa femme à ouvrir le magasin qu'ils tiennent dans la High Street.

Une heure ! La plus longue de ma vie !

Je m'installai dans le hall où, sur une table, des brochures étaient empilées.

Il n'est pas possible, non, que quelque force toute puissante ne se soit pas occupée de moi à ce moment ! Car ce qui s'est passé ne peut être le fait d'une coïncidence.

Je commençai par fermer les yeux, essayant de

calmer les battements de mon cœur qui n'avaient cessé de m'étouffer depuis le départ de Tony.

L'attente devenait intolérable. Je me décidai à rouvrir les yeux. Une couverture de magazine m'attira. Quelques kilts y donnaient une symphonie de couleurs.

Un quart d'heure passa péniblement. Je ne savais ce que je lisais. Un journal était plié devant moi. Machinalement, je regardai la date. L'année précédente ! Une douleur me pinça le cœur. A cette date, Janos était mort depuis deux jours !

Je déployai la feuille. Mes yeux s'écarquillèrent. Un titre en grande manchette !...

« Le célèbre pianiste Janos Rushka et Natacha Bolstoï se tuent en auto... »

Tout d'abord, je ne compris pas. Je restais là, devant ce journal agité par le tremblement de mes mains. Je lisais, le souffle coupé, je voyais la photo d'une falaise, la mer et, en dessous, sur une autre, Janos, le bras passé sous celui de Natacha, l'air heureux.

Je faillis crier : « Non, non, ce n'est pas vrai !... Natacha est morte deux mois après ! »

Je vérifiai la date. C'était bien daté du 29 août. Janos s'était tué le 27. Je scrutai la photo. On voyait un paysage idyllique, une route serpentant le long de la mer. Une croix blanche indiquait une barrière brisée.

Mes yeux faisaient mal à force de fixer, de chercher cette vérité qui, tout à coup, me prenait à la gorge avec une terrible violence. Je relus l'article :

« Le pianiste Janos Rushka avait quitté l'hôtel où il résidait en même temps que Natacha Bolstoï, la célèbre cantatrice.

« Ils roulaient à vive allure, leurs bagages empilés dans le coffre de la Jaguar du célèbre interprète. Qu'est-il arrivé ? On se perd en conjectures, car l'état de la voiture ne permet pas de déceler avec certitude les causes de l'accident. Toujours est-il qu'elle a manqué le tournant, brisé la barrière de sécurité et est tombée de quarante mètres de haut dans la mer. On n'a retrouvé que deux corps déchiquetés. C'est une tragédie stupide qui prive le monde de deux incomparables artistes. Janos Rushka poursuivait une carrière ascendante. On raconte cependant qu'il avait rompu plusieurs contrats importants. Il en était de même, paraît-il, pour Natacha Bolstoï. »

Sous l'autre photo, quelques mots seulement : « Les deux artistes ne se quittaient plus. »

Combien de temps suis-je restée, le journal sur les genoux, le cerveau vide, incapable même de penser ? C'était l'effondrement total des valeurs qui avaient fait ma vie. L'horreur aussi. Le tort que j'avais causé à Tony fut la première pensée cohérente qui me vint à l'esprit. Car soudain, lucidement, je me disais : « Il le savait ! Et c'est pour cela qu'il m'empêchait de lire les journaux. Il le savait ! Et il a inventé la mort de Natacha, trois mois plus tard ! »

Le sympathique Mac Dunn arriva sur ces entrefaites.

Comme dans un rêve, je m'embarquai. Un seul

souvenir net. Je demandai au patron de pouvoir
conserver ce journal. Je le lui paierais s'il le désirait.

— Bien volontiers ! C'est un vieux journal resté là
par hasard. Prenez-le, je vous en prie, s'il vous
intéresse !

Par hasard ?

Le chauffeur m'avait fait monter à côté de lui, me
commentait le paysage.

Je n'entendais pas un mot. Un nouveau problème
se posait à moi. Terrible. Si Tony savait que j'avais
vu ce journal, que je connaissais enfin la vérité, il
serait persuadé que là se trouvait la raison de mon
revirement.

Mon énervement était tel que je me mis à pleurer.
Mon compagnon me coula un regard intrigué. Je
trouvai plus simple, plus loyal de lui dire de ne pas
m'en vouloir, mais que j'avais un gros souci. Le
brave garçon, sa bonne figure rougeaude pleine de
sympathie, opina :

— Mais bien sûr, ne vous en faites pas. Je sais me
taire aussi. Tout ce que je puis vous dire, c'est que
nous serons rendus dans une bonne demi-heure.
Quand vous aurez envie de parler, vous me le direz.

Je l'aurais bien embrassé. Et presque inconsciente
du mouvement de l'auto, je me laissai aller à des
pensées qui se clarifiaient peu à peu. Un fait certain :
Janos et Natacha étaient ensemble alors que Tony
m'avait dit qu'elle était au Canada et lui aux Etats-
Unis. Les lettres mélancoliques de mon mari prenaient un sens nouveau. Avec une rage montante,
j'en arrivais à situer le moment où il avait été repris
par elle. Ah ! comme j'avais eu raison de le craindre.

Elle avait trop follement aimé Janos. Et lui... Il n'avait pas davantage résisté à l'attrait d'une femme autrement fascinante que moi. Et il m'avait trahie ! Honteusement !

Comment n'avais-je pas pressenti ce qui se passait ? La triste vérité était que nous n'avions jamais, au grand jamais, été unis comme je le croyais naïvement. Amère, grandissait la pensée que je n'avais été qu'un premier amour qu'une nature excessive comme celle de Janos avait eu tôt fait de rejeter. Un nouveau sentiment prenait la place de la rage : le désespoir. A cause de lui, j'avais bafoué un amour aussi admirable que celui de Tony. J'avais constamment minimisé un homme qui était d'une autre trempe ! Devrais-je avouer à Tony que je savais enfin ? Ne me repousserait-il pas s'il croyait que seule la trahison de Janos me jetait dans ses bras ? Désespérément, je me dis : « Quoi qu'il arrive, je me battrai. Je dois le convaincre. Et je crois que la sincérité est mon meilleur atout. Il faut qu'il me croie !... »

Cette décision prise, un peu de calme me revint, et je bavardai avec mon chauffeur.

Cela me fit du bien, m'apaisa. Pour lui faire plaisir, j'admirai le paysage. La route était si étroite que nous n'aurions pas même pu dépasser une bicyclette. Elle se tordait dans un site de montagnes enchevêtrées, couvertes d'une végétation échevelée. Ce n'étaient que ruisseaux, chutes tombant des sommets, roches claires frangées d'une herbe riche, mousses veloutées.

Les poteaux télégraphiques avaient disparu depuis belle lurette.

Je demandai :

— Mais comment s'éclaire-t-on à Kinlochhourne ?

— A la bougie, parbleu ! Il fait chaud et confortable dans la ferme, car les murs sont épais. M. Mac Allan, on le connaît bien. Il vient ici tous les ans, ne fût-ce qu'un jour, pour voir les Mac Rae. Je suis sûr qu'il sera là.

Il avait compris que Tony était mon seul souci. Nous descendions maintenant par des lacets de plus en plus serrés en suivant un torrent complètement fou. On l'entendait sauter gaiement de roche en roche, se frayer un passage sous les arbrisseaux.

La ferme apparut enfin dans la vallée un peu encaissée, mais ouverte du côté de l'ouest, sur le loch qu'on voyait scintiller. Il réfléchissait sans bavures dans son eau verte les crêtes envahies d'arbres et parsemées de roches claires.

Je ne quittais pas la bâtisse des yeux au fur et à mesure que nous descendions. La route s'arrêtait un peu plus loin et semblait se perdre dans le loch.

J'avais tellement peur de ne pas trouver Tony que je me pris la figure à deux mains.

Puis, quittant le fouillis de roches et de folle verdure, nous nous trouvâmes dans le fond de la vallée, un vaste pâturage.

CHAPITRE XII

La voiture s'arrêta devant le portail de la cour. La ferme s'étendait, prolongée par des bâtiments rustiques. Les jambes tremblantes, je sautai à terre. Je gardais les yeux fixés sur une petite porte verte à côté d'une fenêtre derrière laquelle on apercevait vaguement la clarté d'un pot de fleurs. Une vraie ferme, où Tony s'était réfugié pour oublier une idiote, indigne de son amour ! Le silence qui régnait m'effrayait.

Mac Dunn, devinant mon émotion, me devança et frappa à la porte. Une attente interminable. Puis le battant s'ouvrit. Une volée de jappements aigus accompagna une petite boule poilue et frétillante qui se jeta dans mes jambes. Dans l'entrebâillement de la porte, un bon visage de femme, plus très jeune, rose et bienveillant, nous regardait avec surprise en s'exclamant :

— Mac Dunn !... Je croyais que c'était Bill avec le courrier !

Il me désigna du doigt.

— Non, Mrs Mac Rae, je vous amène une petite dame française. Elle vient voir M. Mac Allan.

J'avançai, grimaçant un sourire.

Elle jeta les mains en l'air, visiblement désolée.

— Oh ! quel dommage ! Il n'est pas là !

Trouver de la voix, retrouver mon meilleur anglais... J'y arrivai.

— Oh ! Mrs Mac Rae, n'a-t-il pas reçu ma lettre ?... Je... je me présente : Mrs Rushka.

Il faut croire que dans ce coin perdu la gloire de mon mari n'avait pas pénétré. Elle me prit la main en m'attirant :

— Enchantée de vous connaître. Mais entrez donc. Vous allez prendre une tasse de thé...

Je résistai :

— Je vous en prie, madame, dites-moi où je puis le joindre, où il est parti ?

Elle se mit à rire sans me lâcher.

— Entrez tout de même une minute. Vous n'allez pas vous remettre en route comme cela... Là, asseyez-vous dans ce fauteuil. Pixie, taisez-vous !...

Le petit chien continuait à japper. Il vint me flairer et se tut en remuant la queue. La pièce était sombre et rustique, mais étincelante de propreté, accueillante avec sa grande cheminée.

— Là, continuait Mrs Mac Rae, la brave petite bête voit que vous aimez les chiens... Asseyez-vous, Mac Dunn... Le thé est justement sur le feu. Où est M. Mac Allan ?...

Elle se mit à rire joyeusement et mille plis ridèrent son visage qui avait dû être joli. Les yeux très clairs souriaient.

Je demeurais effondrée, consciente que je la regardais d'un air suppliant. Elle s'affairait en sortant les tasses.

— On ne sait jamais où il est. Mrs... comment
encore ?... Rutska ?... Il reviendra bien un jour ! Mais
pas pour le lunch, il a emporté un pique-nique. Il fait
si beau et c'est assez rare ici dans cette vallée ! Jamais
froid, notez bien, très doux, peu de neige, mais
souvent de la pluie.

Elle riait toujours de toutes ses dents. Et je ne
demandais qu'une chose : « Qu'elle me dise où il
est ! » Mac Dunn, lui, m'avait vue pleurer.

Il intervint et je l'en bénirai toujours.

— Je crois que la lady doit le voir d'urgence. Où
est-il, Mrs Mac Rae, qu'elle puisse le joindre rapide-
ment ?

La fermière me regarda, tout interdite.

— C'est donc si urgent ? Oh ! alors, il faudra que
vous alliez à sa recherche ! Vous savez, M. Mac
Allan — je le connais depuis des années ! — aime
partir tout seul le long du loch. Mais il va loin, le
loch, très loin. Quinze miles jusqu'à la mer ! Et les
chemins ne sont pas faits pour des femmes. Pour nos
moutons plutôt. C'est tout ce que je puis vous dire. Il
ne reviendra sans doute pas avant le soir. Je n'ai
malheureusement personne à la ferme qui puisse
aller le chercher pour vous. Mon mari est au-delà des
crêtes à la recherche d'un brigand de mâle qui s'est
égaré. Le garçon de ferme est à Fort Augustus.

Elle m'avait mis une tasse bouillante entre les
mains. Je lui souris faiblement.

— Merci pour ce bon thé, Mrs Mac Rae. Je vais le
boire, puis je partirai. Y a-t-il une route qui rejoigne
le loch et que M. Mac Allan aurait pu prendre ?

Ils éclatèrent de rire tous les deux.

— Une route ? Nous sommes dans un des coins les plus sauvages des Highlands, répondit Mac Dunn. Non, il n'y a pas l'ombre d'une route ! Par-ci, par-là, un sentier qui grimpe le long de la montagne. Tout juste pour les daims. N'y a pas une bicoque à trente miles à la ronde. C'est tout. Non, il n'y a pas de route !

Et il se tapa sur la cuisse. Puis, redevenant sérieux :

— Mrs Mac Rae a raison, c'est un chemin difficile, mais si vous avez le courage de le suivre longtemps, vous finirez par rencontrer M. Mac Allan.

— Oui, enchérit la fermière, il peut s'arrêter en route ailleurs pour pêcher un homard ou deux. Il aime bien ça. Mais prenez garde où vous marchez ! Vous ne risquez pas de le manquer. Il n'y a pas d'autre chemin.

Un chemin long et difficile.

Je me le répétais une heure plus tard avec une sombre satisfaction. C'était une punition que je m'imposais. Il me semblait, puérilement peut-être, que je lui prouverais ainsi que rien ne m'avait arrêtée pour le retrouver et obtenir son pardon.

Un chemin long et difficile, non seulement pour mon âme·en déroute mais aussi pour mes pauvres pieds qui commençaient à souffrir. J'étais chaussée de bons souliers de marche, mais le sentier qui suivait les méandres de l'eau, à peine tracé par les hommes et les bêtes, était hérissé de roches coupantes, de cailloux qui roulaient dangereusement sous les pas. Il était parfois vertigineux, accolé à la paroi plongeant dans l'eau transparente et verte.

Peu à peu, au fur et à mesure que j'avançais, une sorte de résignation me gagnait, née de la puissance de la nature qui m'entourait. Des roches millénaires, bousculées par Dieu sait quel cataclysme, dévalant les coteaux, étaient venues s'incruster près de cette eau merveilleuse. Certaines étaient suspendues au bord du sentier. J'arrondissais le dos et, le cœur battant, passais avec crainte en dessous d'elles. Les plantes, les arbustes se faufilaient, s'agrippaient dans la moindre fente de la terre. Des digitales énormes et d'autres fleurs que je ne connaissais pas poussaient à qui mieux mieux. Il n'y avait pour tout bruit, toute vie, qu'un faible clapotis et, de temps à autre, le cri d'une mouette rapide. Pas trace des hommes. Seulement le poignant silence de la nature.

Tout en marchant, j'imaginais Tony, venu chercher, dans la grandeur qui nous entourait, un adoucissement à sa peine.

Par moments, un découragement profond me prenait. Comment m'accueillerait-il ?

Et je continuais, je continuais, les mollets contractés sous l'effort constant de ne pas tomber. La marée devait être basse là-bas à l'estuaire du loch, car partout foisonnaient de splendides algues dorées. Parfois, je m'arrêtais, épuisée, et je m'asseyais sur une roche pour reprendre mon souffle. Et sans arrêt, je scrutais la paroi de la montagne pour voir si Tony ne s'y était pas perché quelque part.

Parfois, les larmes me gagnaient. Il y avait maintenant près de deux heures que je marchais. Et si je ne le retrouvais jamais ? S'il avait été trop loin, au-delà du loch ?

Et, trébuchant, je repartais, le cœur de plus en plus serré.

Peu à peu, le loch s'élargissait, sous la lumière ardente et le ciel d'un bleu de plus en plus soutenu. Les eaux étaient plus profondes. Tony m'avait dit qu'elles devenaient navigables à partir d'un certain endroit. Nouvelle crainte...

Et s'il s'était embarqué dans un bateau ? Il était parti à pied, oui, mais il avait peut-être rencontré un ami amoureux, comme lui, de cette royale solitude. Avec un canot à moteur, ils pouvaient être loin !

Je regardai ma montre. Je marchais depuis deux heures. Le soleil tapait dur à présent, mes pieds me faisaient affreusement mal. J'enlevai mes souliers, les portant par les lacets, mais essayez de marcher sur des roches et des cailloux ! De plus, une faim et une soif intense me tenaillaient. J'eus un sourire bien amer. Je jouais mon avenir et j'avais faim ! Que n'avais-je accepté la proposition de la bonne Mrs Mac Rae qui m'avait offert d'emporter des sandwiches et une thermos ! Je n'avais pensé qu'à Tony, et à l'épreuve que je voulais m'imposer !

La vallée s'élargissait sur la gauche. Il fallait la contourner. Je retins un sanglot. J'avais la tentation de me coucher au milieu du sentier et de l'attendre comme une bête humble et désespérée. Je n'en pouvais plus !

Une énorme roche. Encore quelques pas...

Et tout à coup, je m'arrêtai net.

Il était là... Assis sur une pierre plate. Il ne me

voyait pas. Son kilt dégageait ses genoux et, même de loin, on voyait combien ils étaient bruns. Un coude sur un genou, il se tenait le menton et contemplait l'admirable spectacle.

Le remords me ravagea une fois de plus. Je distinguais à côté de lui son havresac ouvert, un livre, une canne à pic. Un peu de vent s'était levé et jouait avec les plis du tartan, remuait ses cheveux. Le léger argent de ses tempes brillait au soleil.

Mon cœur se gonfla d'amour et de tendresse, puis le désespoir revint. Que pouvais-je espérer ?

J'étais épuisée, à bout de forces. Je ne pouvais presque plus avancer. Il n'entendait rien. Des mouettes passaient justement en criaillant. Il y avait le chuintement délicat de l'eau contre la berge à ses pieds, sous la roche en surplomb où il se trouvait.

Quand je fus à trois mètres, l'émotion, l'extrême fatigue dominèrent. Et je ne jouais pas la comédie quand je tombai agrippée à la paroi en gémissant :

— Tony !

J'avais fermé les yeux, mais les rouvris aussitôt.

Il s'était retourné, mi-dressé. Et de ma vie, je n'ai vu une expression de stupeur aussi profonde sur un visage d'homme.

Cela ne dura qu'un instant. Il bondit, m'atteignit en quelques pas, me regardant avec cette même incrédulité.

— Cathy ! Mais qu'est-ce que tu fiches ici ?

Est-ce la simplicité du terme qui me rendit un peu de cohérence ?

A travers mes larmes, mes sanglots, je parvins à dire :

— J'ai... j'ai voulu venir... Oh ! Tony... pardon, pardon, j'ai été idiote. Tony, je t'aime !

J'achevai :

— Et c'était si loin ! Je suis... si... fatiguée !... Et j'ai une ampoule au talon !

Je crois bien que j'ai à moitié perdu conscience. Je me souviens seulement de son rire incertain.

Je rouvris les yeux. Il était toujours à genoux à côté de moi et me regardait avec une expression que je n'osais pas encore interpréter. Il secoua la tête sans rien dire, me passa le bras sous la nuque, me souleva et me glissa aux lèvres le goulot d'un flacon plat. Du feu qui me glissa dans la gorge, gagna mon cœur, le réchauffa !...

Il me reposa doucement, ses mains descendirent, entourèrent mes pieds. Il me sembla vraiment que la brûlure disparaissait. Puis il s'assit sur ses talons et continua à me regarder en silence. Son incomparable sourire revint sur ses lèvres.

— Tu seras donc toujours une enfant ? Tu t'es embarquée le long de ce loch toute seule ? Il y a au moins deux heures que tu marches ! Pas étonnant que tu sois complètement harassée, mon petit. Une route pareille !

Mon petit ! L'appellation du passé... Je pleurai à chaudes larmes. Mais sans perdre pour autant le fil de mes idées.

Pourquoi ne me prenait-il pas dans ses bras ? Il ne me pardonnerait donc pas ?

Je balbutiai :

— Je voulais te montrer combien je t'aime, Tony... N'as-tu pas reçu ma lettre ?

Il ne me touchait pas, sur la défensive.

— Quelle lettre ?

— Oh ! c'est donc cela ! Elle n'est pas arrivée !

— Le courrier devait nous parvenir hier. Tu m'as écrit ?

Je détournai la tête. Je tremblais des pieds à la tête, glacée malgré l'air chaud et le whisky.

— Je t'ai écrit pour te dire... te dire que c'est en écoutant les disques de Janos que j'ai compris... Oh ! Tony, tu dois me croire, ne pas m'abandonner à mon désespoir. Je ne peux plus vivre sans toi. Crois-moi, je t'en supplie, crois-moi !

Il dit avec une tristesse qui me glaça le cœur :

— Comment en être sûr, ma pauvre enfant !

— Oh ! cette roche est si dure ! J'ai mal partout. Et j'ai faim et soif !...

Il se leva d'un bond.

— Tu as de la chance que je n'aie pas tout mangé et tout bu ! Mon pauvre chou !

Il eut un petit sourire moqueur que je connaissais si bien.

— Attends, dit-il. Là, plus haut sur la colline, il y a de l'herbe tendre. Un endroit où la terre s'est accumulée entre deux roches. Je t'apporterai à manger. Lève-toi... Misère, la pauvre petite ne tient même plus sur ses pieds.

— Ils sont si gonflés de fatigue... Et blessés aussi. Oh ! Tony, aide-moi.

Il m'enleva tout simplement dans ses bras, mais le visage que je voyais de si près était impassible.

Un instant plus tard, j'étais étendue sur la mousse et l'herbe. Il m'apporta le sandwich qui lui restait, un

peu de thé. Ça allait nettement mieux. Je m'essuyai
les lèvres avec son mouchoir qui sentait le bon tabac,
puis je pris mon courage à deux mains et suppliai :

— Appuie-toi contre moi, j'ai des choses à te dire.

Parce qu'à ce moment, j'avais compris que c'était
la voie la plus dangereuse qu'il fallait suivre.

Il me tint contre lui, mais je le devinais tendu.

— Je t'écoute.

— Je pourrais te laisser ignorer ce que je viens
d'apprendre par hasard, car je crains que tu ne croies
que c'est après que j'ai compris. Il n'en est rien...
Donne-moi mon sac, merci.

J'en sortis fiévreusement le journal avec sa manchette énorme.

Il le prit de sa main restée libre, ne lui jeta qu'un
coup d'œil, puis le posa. Son étreinte sur mes épaules
ne se desserra pas, mais il resta silencieux, son profil
tourné vers le loch.

Je me dégageai pour mieux rencontrer son regard.
Je ne pleurais plus, bien décidée, cette fois, à me
battre.

— Tony, j'ai été une enfant trop longtemps, je le
sais. Mais tu as dit toi-même qu'il y avait des
possibilités en moi. Ces possibilités, je les ai trouvées
après ton départ. Je te jure sur la tête de mon petit
Antoine que j'ai pris ma décision avant de savoir quel
abominable et cher menteur tu as été ! Je te le jure !
Regarde dans ce journal l'adresse de l'hôtel. Mais
même sans ce hasard providentiel, je n'espérais
qu'une chose, te retrouver et obtenir ton pardon.

Il ramena les yeux sur le journal, puis sur moi.

Je vis poindre très loin un espoir.

Je repris courage.

Il me fixa de nouveau.

— C'est bien vrai ?

— Peux-tu en douter ? Comment me serais-je procuré ce journal ?

Il garda le silence. Je me mis à trembler. Il eut un sourire très triste.

— Il était temps, mon petit, que tu te décides, car je ne faisais ici qu'une halte avant de filer très loin. Un jour plus tard et tu ne me trouvais plus.

Je me jetai en avant pour échapper à cette expression de douloureux reproche. La tête sur sa poitrine, je sanglotai mes remords. Et, effrayé par l'excès de mon désespoir, il essayait doucement de me calmer.

— Non, non, je ne t'en veux pas... C'est un peu la faute des événements. Natacha et Janos étaient des natures puissantes, trop exigeantes, qui t'ont dominée longtemps.

— Ne me parle plus d'eux ! Je ne leur pardonnerai jamais !

— Tu me demandes bien de te pardonner, Cathy ! Bien sûr, ce n'est pas comparable !... Je ne t'ai jamais vu des yeux pareils, pleins d'une aussi grande haine. Je finirai par croire que tu aimes encore Janos pour lui en vouloir tellement.

Je criai désespérément :

— Tu ne comprends donc pas que je lui en veux du mal que je t'ai fait, à cause de lui ?

Puis, lui prenant les deux mains :

— Tu savais, n'est-ce pas ?

Il me baisa doucement les paumes, ce qui me réconforta incroyablement.

— Dois-je finir par croire que tu as vraiment envie de t'embarquer avec moi pour la vie ?

— Tu m'as fait l'honneur de me dire que tu me croyais honnête !

— C'est vrai. Je te crois, Cathy.

Et soudain, nous fûmes dans les bras l'un de l'autre avec la violence de tout ce qu'il y avait à oublier de sa part, de tant de remords chez moi. Pourtant, faut-il l'avouer, j'étais dans une joie presque sauvage.

Qu'il est merveilleux de s'aimer sous l'œil généreux et indifférent à la fois de la nature !

Mais après cette première explosion de passion, d'amour, dans laquelle je découvrais un Tony que je n'avais jamais soupçonné, quand nous fûmes un peu apaisés, je me serrai davantage contre lui, dans une soif ardente de sentir ses bras autour de moi.

— Maintenant, j'ai avoué tout ce que j'avais sur le cœur, je t'ai demandé pardon de t'avoir fait de la peine, d'avoir perdu tout ce temps, à ton tour ! Tu as aussi des aveux à faire !... Tu savais, n'est-ce pas ?

— Oui, mon amour, je savais.

— Alors, pourquoi ne m'avoir rien dit ? Quand Janos s'est tué ?

Il se pencha, me baisa les lèvres avec une telle douceur que les larmes me montèrent aux yeux.

— J'avais deux raisons. Je peux te les dire maintenant que je ne doute plus de ta tendresse, de ta confiance... Tu étais encore si fragile moralement, si meurtrie par l'absence de Janos, tu l'aimais encore

avec une telle force que j'ai eu très peur que tu
apprennes la vérité…

— C'est pour cela alors que tu me séquestrais ! Je
comprends tant de choses à présent !… Le silence des
Mac à Newtonmore quand tu m'as présentée… Et
Jane, savait-elle ? J'ai senti si souvent en elle une
profonde rancœur vis-à-vis de Janos.

— Oui, elle savait. Je lui avais fait promettre de se
taire.

— Pas étonnant qu'elle te porte aux nues.

Sa voix se fit plus douce.

— Dans cette lamentable histoire, je voulais aussi
arriver à me faire aimer pour moi-même. Tu constates la bonne opinion que Mac Allan a de Mac Allan !

— Et tu as raison, criai-je en me jetant dans ses
bras.

Nous demeurâmes en silence un long moment. Je
sentais son cœur battre sous ma joue. Je dis enfin :

— S'étaient-ils déjà retrouvés au moment de la
naissance d'Antoine ? Ah ! que tu as été bon pour
moi, à ce moment. Je ne lui pardonnerai jamais de
m'avoir laissée seule !

Tony m'attira plus près de lui, me tint étroitement
serrée. Quand il parla, sa voix était lourde de
mélancolie.

— Je voudrais que tu ne sois pas haineuse vis-à-vis
de ces deux malheureux, Cathy ! Ne t'imagine pas
que Janos n'a pas beaucoup souffert de ce drame. Il
était déchiré. Nous avons eu des conversations interminables à ce sujet. Je n'étais pas là quand il a revu
Natacha, après leur première rencontre qu'il t'a
décrite. Mais quand je suis revenu, le mal était déjà

fait. Essaie de comprendre une nature aussi exaltée que la sienne, tout imbibée de cette espèce de morbidité qui lui vient de sa race, sa jeunesse pénible, le souvenir de cet amour violent d'une femme qui avait, tu l'admettras, un prestige énorme. Il l'a revue, toujours aussi belle, aussi fascinante. Et il savait qu'elle l'avait aimé. Et elle savait s'y prendre !

Je gémis :

— A cause de lui, je ne t'ai pas rendu justice, j'ai été folle et cruelle et tu veux que je lui pardonne ?

— Ne rabâche pas, mon petit !... Le pire a été d'abandonner une jeune femme sur le point d'être mère. Je le lui ai assez reproché !... Nous en avons parlé des nuits entières. Et je te jure qu'il était désespéré. Mais la passion, vois-tu, est une terrible maladie... Il admettait tout, me promettait de ne pas la revoir... de prendre l'avion... Puis ils se revoyaient... Elle, c'était la même chose. J'ai eu pitié de son désespoir, mon petit. Ils étaient absolument comme deux déments ! Janos a rompu son contrat sans souci du dédit terrible qu'il fallait payer, parce que les concerts les séparaient. Natacha aussi. Ils en étaient à vouloir fuir le monde entier. Et quand ils sont partis vers la mort, je suis certain qu'ils n'étaient pas heureux mais complètement déboussolés. Janos m'a écrit avant de partir et...

— Bien entendu, tu n'as pas utilisé cette lettre pour me décider !

— Comment l'aurais-je pu ? Il te confiait à moi. Il était désespéré, mais rien, me disait-il, ne pourrait le retenir. Ils partaient, selon sa formule, au diable ou plus loin encore.

Je tremblais à présent.

— Crois-tu qu'ils l'ont fait exprès... de rater ce tournant ?

Il me serra violemment.

— Qui le saura jamais ! Je les aimais beaucoup tous deux, Cathy, et j'ai été très malheureux à ce moment-là.

— Mon pauvre amour ! Tu avais changé, tu étais maigre, pâle, défait, nerveux.

— Je sais, mais j'étais tourmenté aussi pour ton avenir. Mes affaires ne marchaient pas trop bien, celles de Janos non plus.

Je me dégageai de ses bras. Il fallait que je voie ses yeux.

— Parlons-en. Il y a encore des points obscurs. Et ne t'avise pas de mentir, car je te connais à présent, capable de tout... pour le bonheur de cette petite sotte, irresponsable, égoïste de Cathy !...

Il se mit à rire, mais ses yeux fuyaient.

— Vas-y...

— Comment se fait-il que le compte de Janos, je veux dire, le compte qui devait normalement être alimenté par la vente des disques soit si étrangement vide ?

— C'est bien simple. Du fait de la rupture de son contrat, Janos devait une somme considérable. Comme j'avais ta procuration et que je ne voulais à aucun prix que tu...

— J'ai compris, ces sommes servaient à combler la

dette. Et je sais bien qui alimentait mon compte le 27 de chaque mois !

Il haussa les épaules.

— Ne parle pas de ça !... Ce n'est d'ailleurs que momentané. Quand le dédit sera payé... Malheureusement, il en était de même pour Natacha. L'appartement de Londres a filé de la même façon. Elle aussi avait rompu ses engagements.

Je lui pris le visage à deux mains, le tournai vers moi et contemplai un long moment ses yeux où brillerait une éternelle jeunesse jusqu'à ce que la mort les ferme. « Et Dieu fasse, pensai-je de toute mon âme, que ce ne soit pas moi qui doive les fermer ! »

— Tu as raison, Tony, je ne leur en veux plus. Combien ta manière d'aimer a été différente...

Il sourit.

— Évidemment. Toi, tu avais tellement besoin de protection. Janos t'a aimée un temps avec toute la fougue de sa jeunesse, sois-en sûre !

— Avec tout son égoïsme, veux-tu dire !

— Peut-être. Il n'était pas de taille à résister à une Natacha où le meilleur et le pire se rencontraient. J'en ai su quelque chose jadis. Et pourtant, Cathy, tu le sais, elle t'aimait beaucoup.

— Quand je pense que tu m'as épargné la terrible vérité, que tu as eu le courage de me faire croire que Natacha vivait encore pour que je ne soupçonne pas qu'ils étaient morts ensemble !

Il admit :

— J'avoue que cela n'a pas été facile. Il fallait

attendre que tu reprennes ton équilibre. Maintenant, parlons des problèmes immédiats.

Ses yeux riaient de nouveau.

— Il faut au moins deux heures et demie de marche pour rentrer. T'en sens-tu capable, à mon bras ?

Je le regardai, la bouche ouverte, consternée. Il sauta sur ses pieds.

Il était debout devant moi, le kilt voltigeant au vent. Il me tendit la main tout en cueillant de l'autre son havresac.

— Viens.

Je trébuchais, la main chaudement tenue dans la sienne. Deux heures et demie ! Horreur !

Quelques mètres plus loin, débouchant sur une petite anse, nous nous trouvâmes devant une barque. Elle dansait sur l'eau qui avait monté depuis que j'étais arrivée.

Il eut un geste superbe.

— Et voilà de quoi Anthony Mac Allan est capable ! Il part à pied et revient en barque. Mr Mac Rae l'attache très souvent à son petit canot à moteur et la laisse pour moi dans ce coin perdu. Avec la marée qui gonfle le loch, ce n'est pas très dur. Mais avant d'embarquer, embrasse-moi encore.

Je crois que je vais abandonner ce récit. Quand on aime, on est trop occupé à vivre tous les instants. Peut-être le reprendrai-je un jour pour y consigner ce qui concerne le petit Antoine et les frères et sœurs que j'espère bien lui donner.

Je dépose la plume sur la dernière image de Tony et de Catherine dans la barque, sur l'eau du loch devenue bleue au fil des heures. Elle glissait très lentement, et parfois s'arrêtait parce que nous oubliions de ramer, enlacés, silencieux au sein de la nature toute-puissante.

Janos, Natacha... Pauvres ombres qui s'évanouissaient dans le sillage. Et, avec eux, la poignante tristesse de la mélodie que j'avais si souvent entendue s'éteignait, tuée par les cris aigus des mouettes traversant l'air, le doux friselis de l'eau derrière nous et le battement sourd du cœur de Tony sous mon oreille.

ACHEVÉ D'IMPRIMER LE
22 JUILLET 1977 SUR LES
PRESSES DE L'IMPRIMERIE
BUSSIÈRE, SAINT-AMAND (CHER)

Nº d'Éditeur : 14.
Nº d'Imprimeur : 803.
ISBN : 2-235-00185-8.
Dépôt légal : 3ᵉ trimestre 1977.